Democracia, seguridad e integración

América Latina en un mundo en transición

Mónica Hirst

GRUPO
EDITORIAL
norma
ENSAYO

Primera edición: Noviembre de 1996
1996. Derechos reservados por
Grupo Editorial Norma S.A.
Moreno 376, 1º piso (1091) Buenos Aires
República Argentina
Empresa adherida a la Cámara Argentina del Libro.
Diseño de tapa: Ariana Jenik
Impreso en Argentina por: Indugraf S.A.
Printed in Argentina
C.C.: 02030015
I.S.B.N.: 950-718-109-1

Hecho el depósito que marca la ley 11.723
Libro de edición argentina.

ÍNDICE

Presentación

Los cinco ensayos reunidos en este libro tratan un conjunto de aspectos referidos a las relaciones internacionales de América Latina en la posguerra fría. En todos ellos se intenta responder una pregunta esencial de diferentes formas: ¿Cuál es el impacto político y económico del fin de la Guerra Fría para América Latina?

De norte a sur, soplaron sobre la región los vientos de cambio producidos por las transformaciones en el sistema internacional. Tanto la profundización de los procesos de regionalización y de globalización como la emergencia de una nueva agenda política, estimuladas por la posguerra fría, repercutieron en los comportamientos externos de los países latinoamericanos. Sin embargo, las transformaciones de los países de la región en el campo internacional no pueden ser atribuidas exclusivamente al término del conflicto bipolar. Transformaciones internas de orden político y económico también tuvieron influencia decisiva en este proceso.

La combinación entre motivaciones internacionales e internas no fue la misma para los países y las subregiones en América Latina. Esto constituye una razón de peso para explicar por qué no se ha producido una reacción coordinada y/o institucionalizada de los países de la región, basada en la identificación de intereses convergentes. De hecho, se observa un cuadro singular de tendencias orientadas simultáneamente hacia la fragmentación y la integración.

La convivencia de ambas tendencias resulta de la superposición de dos concepciones de inserción externa profundizadas al finalizar el conflicto este-oeste: la primera supone que los costos de la convivencia derivados de las inevitables desigualdades entre los

Estados en el nivel regional sólo pueden ser atenuados si estas desigualdades son subordinadas a las asimetrías globales que condicionan a todos los países del área; y la segunda supone que los costos de la convivencia derivados de las inevitables asimetrías entre los Estados en el nivel global pueden ser atenuados a través de coaliciones interestatales en el nivel regional. Para ambas concepciones, la asociación intra-regional cumple un papel esencial.

Las relaciones internacionales de los países latinoamericanos hacia fines de la década de 1980 son el producto de una articulación particularmente dinámica entre factores internos y externos. La erosión de las fronteras entre la política y la economía que se observa en el sistema internacional de la posguerra fría se ve favorecida en América Latina, debido a la reducida importancia de la región en el proceso de reordenamiento mundial. Su marginalidad política y su bajo nivel de confictividad interna han sido factores auspiciosos para su adaptación a las nuevas condiciones de vinculación interestatal, que privilegian el impacto de la globalización y de la interdependencia en vez de la política de poder. En este contexto, muchos países de la región se han transformado en participantes activos del juego de dos niveles, proceso en el cual los Estados deben enfrentarse al mismo tiempo con los intereses de importantes actores internos (empresarios, partidos políticos, sindicatos, opinión pública) y con las presiones externas (gobiernos de otros Estados, empresas transnacionales, organizaciones y regímenes internacionales).

La articulación entre intereses internos y presiones externas está determinada por cuatro circunstancias recientes en América Latina. En el plano interno se destacan los procesos de redemocratización y los procesos de reforma y liberalización económicas. En el terreno internacional sobresalen el cuadro de polaridades políticas indefinidas y la acelerada internacionalización del sistema económico mundial.

El legado de una historia política marcada por la inestabilidad y la quiebra del orden institucional, sumado a un cuadro de agudos problemas sociales, crea desventajas para la región en su interacción con la sociedad internacional. Al mismo tiempo, lejos de representar un espacio político y económico homogéneo, la región no actúa como una comunidad de intereses y lealtades. Existen importantes diferencias en cuanto al tipo de articulación producida por las cuatro circunstancias ya mencionadas en el norte y el sur de América Latina, que obstaculizan una actuación de este tipo. No obstante, en el ámbito del Cono Sur se observan diversas señales que favorecen el desarrollo de una identidad comunitaria en el ámbito latinoamericano. El MERCOSUR constituye el paso más importante en esta dirección.

En este libro se analizan las relaciones internacionales de América Latina a partir de tres universos. El primero comprende los espacios multilaterales/institucionales muy valorizados por la sociedad internacional a partir del desmantelamiento del orden bipolar. El segundo se refiere a la relación con los Estados Unidos, que constituye para América Latina el principal factor de poder que condiciona su pertenencia al sistema mundial. El tercero se refiere al espacio regional propiamente dicho y en particular a la nueva realidad de interacciones intra-latinoamericanas desarrolladas hacia fines de la década de 1980. Con este propósito se empleará un enfoque amplio acerca de la región en su conjunto y otro de carácter más específico que trate la subregión del Cono Sur. En este caso serán analizadas las problemáticas de seguridad internacional, política exterior e integración económica. Estos tres universos temáticos se desarrollan en cinco ensayos críticos, en los cuales se procura conjugar un enfoque analítico con un abordaje descriptivo.

El primer capítulo analiza por qué el fin de la Guerra Fría, la democratización y los lazos económicos intra-regionales más estrechos no han fortalecido las instituciones de gobernabilidad regional en las Américas. Si el multilateralismo y el institucionalismo –en sus múltiples formas– se han convertido en una tendencia dominante en la sociedad internacional, ¿por qué no se ha seguido el mismo ritmo en el ámbito interamericano o latinoamericano? Para contestar esta pregunta se examinan tres aspectos de las relaciones internacionales de América Latina, a saber: el problema endémico de las asimetrías de poder, la evolución reciente de las instituciones regionales y el surgimiento de nuevos temas, intereses y actores en el ámbito de las instituciones de gobernabilidad regional.

En el segundo capítulo se tratan las relaciones entre los Estados Unidos y América Latina, prestando particular atención al uso de la coerción. La principal preocupación es mostrar que ni el fin de la Guerra Fría ni la globalización económica han reducido las asimetrías que favorecen el uso de la diplomacia coercitiva en el ámbito interamericano. Se seleccionaron tres episodios para corroborar esta afirmación. El primero es la intervención de Estados Unidos/Naciones Unidas en Haití, efectuada en septiembre de 1994. Precedida por más de dos años de sanciones económicas que arruinaron la economía haitiana, esta operación introdujo nuevos aspectos en el intervencionismo de la posguerra fría. Este hecho entre tanto no impide que Haití sea también interpretado como un capítulo más de la larga historia de coerción e intervención militar norteamericana en el Caribe y América Central. El segundo ejemplo son las relaciones de Estados Unidos-Cuba a partir de las sanciones económicas impuestas por la Ley Toricelli y de las negociaciones migratorias en 1994. En este caso se trata de relaciones generadas en el contexto de la bipolaridad que gradualmente abandona el carril de la coerción y contra-coerción como único método de entendimiento. Finalmente, el tercer episodio se refiere a la controversia entre Estados Unidos y Brasil sobre la ley de propiedad intelectual. Esta disputa ilustra el uso de la diplomacia coercitiva en el campo de las negociaciones económicas internacionales, al mismo tiempo que pone en evidencia la dudosa eficacia del unilateralismo agresivo norteamericano para la obtención de ventajas comerciales en América Latina.

El tercer capítulo se refiere a la integración económica en América Latina, en particular al *boom* de acuerdos regionales registrados en los últimos años. Se considera que pese a su carácter fragmentado, ésta constituye un único proceso ajustado a las tendencias globalizantes del sistema económico internacional contemporáneo. En su primera sección se analiza el contexto político y/o económico en el que se desarrolla el proceso de integración latinoamericano, comparando las motivaciones y los desafíos que enfrenta. La segunda sección comprende una breve descripción de la evolución reciente de los principales acuerdos vigentes; entre ellos: la Asociación Latinoamericana de Integración (ALADI); el Mercado Común Centroamericano (MCCA); la Comunidad del Caribe (CARICOM); el Grupo Andino (GRAN); el Mercado Común del Sur (MERCOSUR) y el Acuerdo de Libre Comercio de América del Norte (NAFTA).

Los últimos dos capítulos del libro están dedicados a las relaciones internacionales del Cono Sur de América Latina. El cuarto capítulo enfoca el tema de las políticas de seguridad de la Argentina, Brasil, Chile, Paraguay y Uruguay. La principal preocupación consiste en analizar los pros y los contras para la creación de una comunidad de seguridad pluralista en esta subregión. En este caso se discute la utilización del concepto de paz inter-democrática en el Cono Sur contemplando los condicionantes internos (relaciones cívico-militares), internacionales (políticas exteriores) y regionales (políticas de cooperación y conflicto subregional) que influyen sobre estos países. Finalmente, en el quinto capítulo se hace un análisis del sentido político del MERCOSUR. Se parte del supuesto de que la especificidad política de este proceso está dada por tres aspectos cruciales: la actuación de sus actores (burocráticos, políticos y sociales), los temas de politización que ha generado y su base de sustentación ideológica. Su propósito es examinar las condiciones generadas por intereses estatales y societales para la consolidación de una cultura política pro-MERCOSUR.

Agradezco el apoyo recibido por el Consejo Nacional de Ciencia y Tecnología (CONICET) y el Programa de Naciones Unidas para el Desarrollo (PNUD) para la preparación de los materiales reunidos en este libro así como el apoyo institucional brindado por la Facultad Latinoamericana de Ciencias Sociales (FLACSO-Programa Argentina) y en particular del Área de Relaciones Internacionales. Finalmente deseo expresar mi reconocimiento a Elsa Llenderrozas y a Marcos Mendiburu por su valioso trabajo de asistencia en la búsqueda de datos, investigaciones básicas y corrección de originales.

CAPÍTULO I

LA GOBERNABILIDAD REGIONAL EN LAS AMÉRICAS: EL VIEJO REGIONALISMO EN UN NUEVO ORDEN MUNDIAL

1. INTRODUCCIÓN

Se ha vuelto un lugar común reconocer la importancia creciente de la gobernabilidad internacional y del multilateralismo en el orden de la posguerra fría. Las organizaciones vinculadas a asuntos tanto económicos como de seguridad son actualmente rediseñadas en un esfuerzo por afrontar los desafíos que se presentan a los Estados y las sociedades en el próximo siglo.[1] La expansión del institucionalismo ha estado vinculada al proceso de socialización de los Estados y otros actores sociales, proceso en el cual la interdependencia se ha tornado aún más compleja, y la cooperación, casi inevitable.

---

[1] Ver, por ejemplo, John Gerard Ruggie (1993); The Commission on Global Governance (1995); Richard Falk, Samuel Kim y Saul Mendlovitz (1991); David Dewit, David Haglung y John Kirton (1993); Margaret Karns y Karen Mingst (1992).

Se ha reconocido que los cambios globales afectan a los Estados y a las regiones de manera diferente, estimulando una mayor homogeneidad dentro de y entre un cierto grupo de países, y al mismo tiempo profundizando los contrastes entre esos países, y otras regiones y Estados.[2] Este fenómeno repercutió en el ámbito hemisférico e introdujo nuevos dilemas en las relaciones interestatales de la región. Entre estos dilemas debe destacarse la revitalización de las instituciones regionales de gobernabilidad. Pese a ello, aún no está muy claro cómo el multilateralismo ampliado de la posguerra fría puede volverse efectivo, ya sea en los asuntos interamericanos como en los intra-latinoamericanos.

Hace cuatro o cinco años atrás, los académicos y funcionarios de gobierno de los Estados Unidos de América y América Latina, con posiciones ideológicas diferentes, compartían la idea de que había comenzado una nueva era de convergencia en el ámbito hemisférico.[3] Representantes de la izquierda sostenían una posición defensiva *vis-à-vis*, el llamado "Consenso de Washington", pues creían que el fin de la Guerra Fría imponía nuevas restricciones sobre el Tercer Mundo y, en particular, sobre América Latina.[4] Desde la derecha y el centro políticos, sin embargo, se sostenía que América Latina podía desempeñar un rol positivo en el nuevo orden mundial. En este caso se percibía la sincronización de las reformas orientadas al mercado y la democratización, como el mejor logro para materializar dicha aspiración.

También se suponía que la Cumbre Presidencial de 1994 en Miami sellaría esta nueva etapa de las relaciones entre América Latina y los Estados Unidos. Sin embargo, las dificultades en la coordinación de las posiciones de los países de América Latina, los *impasses* generados para profundizar una nueva agenda interamericana y el cuadro político en los Estados Unidos han cambiado este panorama. Más aún, pese a que se destacó la importancia del institucionalismo regional –y particularmente de la Organización de Es-

[2] Ver Robert Keohane (1995) y Osvaldo Sunkel (1995).
[3] Ver Robert Pastor (1992) y Abraham Lowenthal (1992/1993).
[4] Ver, por ejemplo, Noam Chomsky (1992). Para una visión del impacto del neoliberalismo sobre la izquierda latinoamericana puede consultarse Jorge Castañeda (1993).

tados Americanos (OEA)– en las resoluciones finales de la Cumbre de las Américas, no queda claro qué rol jugará este institucionalismo regional en el futuro de las relaciones interamericanas.

Al comenzar la década del 90 las relaciones intra-regionales de América Latina parecían comenzar un período floreciente de cooperación y paz inter-democrática. Se difundió la democratización, prosperaron las negociaciones bilaterales pendientes sobre viejas disputas fronterizas junto con la creación de medidas de confianza, y se desarrollaron iniciativas de integración económica a lo largo de la región. El Cono Sur se convirtió en una subregión paradigmática en esta dinámica.[5] El Grupo de Río, por su parte, trataba de ampliar su protagonismo, transmitiendo así la idea de que podría convertirse en un futuro cercano en un órgano regional permanente para la cooperación política.[6]

Para explicar por qué no se cumplieron las expectativas previas respecto de los escenarios interamericano e intra-latinoamericano es importante considerar los factores presentes y pasados que han configurado las relaciones interestatales en el hemisferio. El aspecto más relevante es la asimetría de poder y sus efectos sobre la forma en que los Estados de la región manejan la cuestión de la soberanía. La gobernabilidad internacional es muy difícil de alcanzar entre países que tienen diferentes conceptos de soberanía, especialmente cuando el aumento de la institucionalización es percibido como una amenaza para un conjunto diversificado de intereses nacionales.

Como afirmó Robert Keohane, la naturaleza de la soberanía ha cambiado enormemente en las áreas del mundo que han pasado por procesos de alto grado de interdependencia. Este fenóme-

---

[5] Ver capítulo 4 en este libro.

[6] En diciembre de 1986, los países del Grupo de Contadora (Colombia, México, Panamá y Venezuela) y del Grupo de Apoyo (Argentina, Brasil, Perú y Uruguay) se reunieron en Río de Janeiro y crearon formalmente una nueva organización, el "Mecanismo Permanente de Consulta y Concertación Política", conocido originalmente como el Grupo de los Ocho. En 1988 a este grupo se le dio el nombre de Grupo de Río. Durante el cuarto encuentro, realizado en Caracas en octubre de 1990, el Grupo propuso el ingreso de Chile y Ecuador, y se invitó a formar parte a Paraguay y Bolivia para completar el mecanismo sudamericano. Las subregiones del Caribe y América Central serían luego invitadas a designar cada una un representante por la región, de forma rotativa por un período específico.

no se ha dado en los países de la OCDE, en los cuales "(...) el principio y la práctica de la soberanía están siendo fuertemente modificados en respuesta a los cambios en la interdependencia internacional y el carácter de las instituciones internacionales".[7] No obstante, en aquellas áreas en las cuales este proceso no ocurrió, el concepto de soberanía aún sigue premisas más clásicas.

Podría decirse que actualmente el choque entre dos conceptos diferentes de soberanía se tornó el principal dilema de las relaciones Norte-Sur. La soberanía es comúnmente percibida en los países del Sur como un atributo indeclinable del Estado y es asociada a la autonomía, al no-intervencionismo y al interés nacional. En las relaciones los Estados Unidos-América Latina, esta diferencia tiene importantes implicancias para las relaciones interestatales presentes y futuras.

En primer lugar, aunque se dice que el Estado-nación constituye un atributo declinante para los gobiernos de la mayoría de los países latinoamericanos, y especialmente sudamericanos, éste aún representa la dimensión más importante de su inserción internacional. En segundo lugar, en tanto las estructuras de poder asimétrico prevalezcan en el contexto interamericano, los Estados latinoamericanos se resistirán a revisar sus conceptos de soberanía. En tercer lugar, los nuevos conceptos de soberanía en América Latina han funcionado como una externalidad con creciente influencia –aunque distribuida en forma desigual– sobre los asuntos internacionales e internos. Algunos países han absorbido estos conceptos más pasivamente que otros, debido a presiones económicas y políticas. En cuarto lugar, es importante tener en cuenta que en todos los casos esta absorción ha estado más ligada al patrón de las relaciones con los Estados Unidos que a la profundización de la interdependencia económica.

En la medida en que la extensión de la interdependencia no ha sido un proceso homogéneo en el mundo, este fenómeno ha incrementado las vinculaciones tanto simétricas como asimétricas entre las naciones. Así, para América Latina, lidiar con los nuevos conceptos de soberanía en el contexto de una interdependencia asimétrica, o de una simple dependencia, ha sido un obstáculo di-

---

[7] Robert Keohane (1995), p. 177.

fícil de neutralizar por parte de las instituciones de gobernabilidad regionales. Paradójicamente, la democratización en la región no ha contribuido a expandir los regímenes de paz y cooperación multilateral en las Américas, ni en la dirección Norte-Sur ni en la Sur-Sur. El fin de la Guerra Fría, la democratización y los lazos económicos intra-regionales más estrechos no han estimulado un mayor institucionalismo ya sea en el ámbito interamericano o latinoamericano.

Este ensayo intenta analizar por qué la actual interdependencia asimétrica Norte-Sur y/o la interdependencia simétrica Sur-Sur no han conducido a la expansión de las instituciones de gobernabilidad regional. Si el multilateralismo y el institucionalismo –en sus múltiples formas– se han convertido en una tendencia dominante en el sistema internacional, ¿por qué no se ha seguido el mismo ritmo en las Américas?

En un intento de responder a esta pregunta, este ensayo considerará tres aspectos diferentes de las relaciones interamericanas e intra-latinoamericanas. En primer lugar, se abordará el problema endémico de las asimetrías de poder en la región. En segundo lugar, se hará un breve repaso de las instituciones regionales durante el pasado reciente, no tanto para revisar su evolución histórica sino para identificar herencias positivas y negativas. En tercer lugar, este trabajo tratará el impacto del fin de la Guerra Fría sobre los desarrollos de la gobernabilidad regional, particularmente frente al protagonismo de nuevos actores que desempeñan ahora un rol principal en las instituciones internacionales. Finalmente, a modo de conclusión, se señalarán las perspectivas y desafíos futuros para las instituciones de gobernabilidad regional, en particular frente a las tensiones que se plantean entre las tendencias anárquicas de las relaciones internacionales y las posibilidades de cooperación ofrecidas por las vinculaciones inter-societales.

2. Estructuras asimétricas de poder

La distribución desigual del poder económico y político fue siempre un problema en las relaciones interamericanas e intra-latinoamericanas. Ambos tipos de asimetría han generado dificultades para expandir el multilateralismo regional.

Este problema ha estado relacionado con el predominio de los Estados Unidos en el área durante la mayor parte del siglo veinte, lo que contribuyó a agravar la marginación de América Latina en los asuntos mundiales, particularmente a partir de la Guerra Fría. Así, tanto en el pasado como en el presente –siguiendo las premisas clásicas de la Doctrina Monroe– los lazos económicos y políticos con otras potencias extra-regionales han asumido un rol secundario para la mayoría de los países de la región. A medida que se impuso la presencia económica y política norteamericana mediante prácticas coercitivas y unilaterales, Estados Unidos pudo consolidar su *status* de potencia hegemónica en la región. Este fue un proceso desigual que creó varias diferencias entre los Estados latinoamericanos

La primera y principal diferenciación se refiere a la desigual distribución de recursos económicos y poder militar entre los Estados Unidos y América Latina. A pesar de que esto es ahora un hecho indiscutible, es también el resultado de un proceso histórico ocurrido desde el fin del siglo diecinueve y consolidado después del fin de la Segunda Guerra Mundial, cuando Estados Unidos se convirtió en una potencia mundial. En este contexto, América Latina se transformó en una esfera de influencia de los Estados Unidos, y los intereses de este último han tenido un enorme efecto sobre las estructuras económicas y políticas.

Aún así, es importante tener en cuenta que éste ha sido un camino de doble mano dado que las elites políticas y económicas de la región han tenido una participación activa en el proceso. Como señaló Coatsworth: "Sería un error culpar solamente a la influencia de los Estados Unidos por el sobre proteccionismo y por la desigualdad persistente que afligió a la región latinoamericana durante las décadas desgastantes de la Guerra Fría. Estados Unidos no tuvo que buscar demasiado tiempo ni con demasiado esfuerzo las elites aliadas, confiables y anticomunistas, cuyo deseo por atraer las inversiones de los Estados Unidos era superado solamente por su deseo de evitar y evadir el cambio social".[8]

[8] John Coatsworth (1993), p. 163.

Una segunda diferenciación en las relaciones interamericanas está relacionada con las prioridades de Estados Unidos en la región. Por razones esencialmente estratégicas, los Estados del Caribe, México y América Central han recibido siempre más atención que los de América del Sur. Como dijo Robert Pastor: "(...) los objetivos más tentadores para los adversarios de los Estados Unidos son precisamente aquellos países más pequeños, más pobres y los vecinos menos estables".[9] Por supuesto la única excepción aquí es México que, en términos comparativos, no puede ser caracterizado como pobre, pequeño o inestable.

Durante la Guerra Fría, y particularmente durante su última etapa, la preocupación política, la ayuda económica y la presencia militar de los Estados Unidos en esta área se volvieron aún más desproporcionadas *vis-à-vis* otras áreas de América Latina que fueron virtualmente borradas de la mayoría de los mapas gubernamentales estadounidenses. Actualmente, aunque la reducción de la presencia estadounidense en América Central es innegable, todavía persiste una notable hipersensibilidad respecto de esta área. Si bien la participación oficial de los Estados Unidos en la recuperación no ha ido mucho más allá del apoyo diplomático para las negociaciones de paz intra-regionales, la posibilidad de su intervención no debe nunca ser descartada.[10]

De hecho, la diferenciación entre la subregión México, América Central y Caribe por un lado, y América del Sur por el otro, se ha mantenido y profundizado en la posguerra fría como consecuencia de la importancia creciente de nuevos temas en la agenda de los Estados Unidos con los Estados del área. A medida que el narcotráfico y las migraciones se tornan temas de gran preocupación para el gobierno norteamericano, aparecen nuevas percepciones a propósito de los conceptos de intereses internos de seguridad que afectan a esos Estados.[11] Cada vez más esos temas son

---

[9] Robert Pastor (1992), p.25.

[10] Para un análisis de los problemas de la reconstrucción de América Central luego de la Guerra Fría ver Anthony Lake *et al.* (1990).

[11] Para un interesante análisis de las percepciones y creencias en Washington sobre seguridad en Latinoamérica durante la Guerra Fría, ver Lars Schoultz (1989).

abordados como problemas internos por sectores gubernamentales y no gubernamentales de los Estados Unidos. La noción de una agenda interméstica se ha tornado apropiada para afrontar la complejidad creciente de las conexiones intergubernamentales e intersociales entre los Estados Unidos y el Caribe, América Central y México.[12]

Un último aspecto en relación con las diferentes prioridades de los Estados Unidos en el área se refiere a las políticas de poder involucradas. Mientras que el Caribe, América Central y México tienden a ser dominados por los intereses de los Estados Unidos, los Estados de América del Sur tienden a ser persuadidos.

La tercera diferenciación se refiere a la importancia relativa de los Estados. Esta diferenciación afecta, particularmente, a los países de América del Sur que casi siempre han tenido un peso marginal para los Estados Unidos. Sin embargo, esta marginalidad no ha sido recíproca ni en el pasado ni en el presente. La importancia de los Estados Unidos para estos países ha sido proporcionalmente inversa a su importancia para los Estados Unidos.

Las relaciones con Washington, tanto en términos positivos como negativos, han sido un capítulo principal de los asuntos internacionales de todos los países de América Latina. Esas naciones han adoptado premisas de política exterior que han oscilado entre políticas pro-norteamericanas y anti-norteamericanas desde la década del '30. La reiterada falta de reciprocidad ha generado una frustración que condujo muchas veces a políticas de confrontación, por parte de América Latina.[13] Mientras que la sucesión de ciclos de acercamiento-distanciamiento se ha producido en el nivel bilateral, estos ciclos tuvieron su impacto sobre los foros multilaterales interamericanos en los cuales el desacuerdo entre el

---

[12] Para las implicancias para los Estados Unidos de los flujos migratorios y del crimen organizado provenientes de esta área, ver Paul Gorman (1989), Jean-Pierre Guengant (1993), Alan B. Simmons (1993).

[13] La larga historia de expectativas frustradas entre Latinoamérica y los Estados Unidos se remonta al fin de la Segunda Guerra Mundial. En ese momento, los Estados latinoamericanos presionaron al gobierno estadounidense por cooperación económica, en espera de un Plan Marshall como compensación por el apoyo otorgado para la derrota del nazismo, ver David Green (1971).

Norte y el Sur perjudicó las iniciativas de gobernabilidad regional.[14]

El deterioro de las relaciones entre los Estados Unidos y América Latina, y especialmente de las relaciones entre los Estados Unidos y América del Sur, alcanzó su peor momento en la década del '80 cuando la región enfrentó graves problemas económicos. En ese momento, los latinoamericanistas en los Estados Unidos compartían la hipótesis de que las expectativas insatisfechas de los Estados de América del Sur pudieran llevar a una fragmentación definitiva de la comunidad interamericana. Como afirmó Abraham Lowenthal: "...las políticas intervencionistas de los Estados Unidos antagonizan con las principales naciones latinoamericanas que no se ven a sí mismas como seguidores incondicionales de éste. Lo que Washington puede ganar con la subordinación de Honduras o Costa Rica lo pierde en términos de cooperación con Brasil, México, Colombia, Perú y Argentina".[15]

Al final, la vulnerabilidad económica externa profundizó los lazos entre los Estados de América del Sur y los Estados Unidos. En vez de que éste repensara sus intereses *vis-à-vis* América Latina, la gran mayoría de los países de la región replanteó sus intereses respecto de los Estados Unidos. El comercio con este país se incrementó sustancialmente para América Latina en la década del '80, y las instituciones financieras de los Estados Unidos jugaron un rol crucial en los programas de privatización implementados en la región.[16] A medida que los Estados de América Latina y los Estados Unidos replantearon rápidamente sus prioridades de política exterior, la idea de una nueva era de convergencia fue bienvenida, reemplazándose "..el lenguaje de la hegemonía por el de la 'sociedad' y la 'cooperación'".[17]

---

[14] Para una visión comparativa de las distintas dinámicas bilaterales entre los Los Estados Unidos y América Latina, ver Monica Hirst (1987).

[15] Abraham Lowenthal (1987), p.47.

[16] La participación de los Estados Unidos en las exportaciones latinoamericanas se incrementó de 32.2 % en 1980 a 38.2 % en 1987, para Chile de 12.1 % a 21.5 %, y para México de 63.2 % a 69.6 % . Ver Andrew Hurriel (1994), p.171.

[17] Andrew Hurriel (1994), p. 172.

Ni el fin de la Guerra Fría ni la globalización han reducido las asimetrías interamericanas. América Latina es, actualmente, la única área en la cual los Estados Unidos no enfrenta la contradicción entre su superioridad militar absoluta y su declinación económica relativa, que le ha impedido asumir un pleno liderazgo mundial después de 1989. Gracias a un amplio marco de convergencias, la influencia estadounidense en los asuntos económicos y políticos latinoamericanos se ha expandido dentro y entre los países de la región. Simultáneamente, se han profundizado las diferencias en la comunidad latinoamericana. Ciertamente, el "tratamiento especial" otorgado a México primero con el NAFTA y después con el apoyo financiero reciente, ha introducido un nuevo elemento al patrón asimétrico de relaciones entre los Estados Unidos y América Latina. A pesar de que este país había comenzado "(...) su alejamiento de América Latina hacia los Estados Unidos hace mucho tiempo (...)", el impacto de su crisis ha afectado a la región entera.

Como se mencionó antes, las asimetrías no han sido solamente un problema en las relaciones interamericanas sino que también se han manifestado en las relaciones intra-latinoamericanas. Esto lleva a una cuarta fuente de diferenciación en el hemisferio americano. En este caso, los desequilibrios no están asociados con políticas de poder. El poder económico y militar desigual entre los Estados de América Latina ha sido neutralizado por la presencia hegemónica de los Estados Unidos. No obstante, esta presencia no le ha impedido a los países de la región el desarrollo de políticas de defensa conflictivas, las cuales fueron puestas a prueba en algunas pocas ocasiones.

Aunque ha sido siempre fácil identificar percepciones e intereses comunes entre los Estados de América Latina sobre temas económicos, las asimetrías de tamaño, nivel de industrialización y diversificación de vínculos internacionales han servido como obstáculos a cualquier progreso sustancial en las iniciativas de asociación económica regional.[18] Esas asimetrías han contribuido a incrementar los sentimientos nacionalistas, alimentados por prejui-

---

[18] Ver Ernst Haas y Philippe Schmitter (1964).

cios políticos, el posicionalismo defensivo, y las políticas estatales orientadas hacia adentro. Así, las metas económicas nacionales han sustituido en varias ocasiones a los intereses comunes necesarios para aumentar y fortalecer la cooperación regional.[19]

A mediados de la década del '70, los diferentes resultados obtenidos por las estrategias de sustitución de importaciones llevaron a la categorización de los Estados de América Latina en cuatro grupos distintos: potencias regionales (la Argentina, Brasil, México), potencias medianas (Venezuela, Colombia, Chile y Perú), Estados pequeños (Bolivia, Paraguay, Uruguay, Panamá y países de América Central) y microestados (países del Caribe). Paradójicamente, aunque nunca se aceptó una jerarquía entre los países de América Latina, los Estados pequeños siempre obtuvieron un tratamiento especial en las iniciativas de asociación regional.[20]

Después de la creciente vulnerabilidad externa experimentada por América Latina en la década del '80, y mientras las políticas industrialistas fueron gradualmente abandonadas y reemplazadas por estrategias neoliberales, la diferenciación previa se volvió menos funcional. Esto se tornó particularmente cierto respecto de los países grandes y medianos. Éstos ahora ya no clasifican su performance interna y externa en función de atributos tales como el tamaño del territorio, el Producto Bruto Interno o los activos industriales. A primera vista, por lo tanto, las asimetrías intra-latinoamericanas podrían ser descartadas como razón explicativa del débil multilateralismo intra-regional.

Este cuadro se torna más complejo cuando Brasil se agrega al mapa.[21] Este país tuvo en los últimos años una participación cen-

---

[19] Joseph Grieco ha usado el concepto de posicionalismo defensivo con el fin de explicar la resistencia en el pasado de los países de Latinoamérica para cumplir con los compromisos asumidos de reducciones arancelarias. Ver Joseph Grieco (1990), pp. 223-227.

[20] Ver, por ejemplo, William A. Hazleton (1981).

[21] La economía de Brasil supera por mucho a las de los otros países latinoamericanos: en 1992 su PBI fue 2.3 veces mayor que el de Argentina, 3.7 veces mayor que el de Venezuela, 5.8 veces mayor que el de Colombia, 7.5 veces mayor que el de Chile y 15.7 veces mayor que el de Perú. En 1993 Brasil participó con el 22.9% del comercio total latinoamericano y del Caribe y con el 54.2% del total del comercio de países sudamericanos no exportadores de petróleo. Ver ECLAC (1993).

tral en la reactivación de la cooperación económica intra-latinoamericana, particularmente con su participación en el MERCOSUR. La creciente importancia de los intereses económicos de Brasil en la región, en los últimos años, ha sido crucial para la profundización de la interdependencia intra-latinoamericana, y sobre todo intra-sudamericana. Queda por ver si estos desarrollos conducirán a una forma de interdependencia simétrica o asimétrica. Mientras tanto, este proceso ha comenzado a asumir una significación política, más aún en la medida en que Brasil ha manifestado más abiertamente su aspiración de ampliar su protagonismo internacional.

La idea de Brasil como potencia regional está asociada con el concepto de América del Sur como región, lo cual podría profundizar la fragmentación de América Latina. El debate sobre si Brasil posee o no los atributos necesarios para convertirse en un poder regional no es nuevo y fue un motivo de preocupación en la política intra-sudamericana a comienzos de la década del '70.[22] En nuevas circunstancias, el concepto de Brasil como potencia regional parece estar tomando fuerza de nuevo. Luego de un período de limbo durante la década del '80, Brasil superó sus ciclos de inestabilidad macroeconómica acompañados por una creciente vulnerabilidad económica externa. La nueva agenda de cooperación con la Argentina, las relaciones comerciales más sólidas y estrechas con todos los países de América del Sur, y la posición única del país como potencia industrial en la región, son los aspectos más destacados de un nuevo escenario Brasil-América Latina.

3. LAS INSTITUCIONES REGIONALES: PASADO Y PRESENTE

El éxito relativo del institucionalismo interamericano durante los años 1947-1970 estuvo vinculado con la preeminencia de los Estados Unidos en América Latina durante este período.[23] Hay un

---

[22] Ver Andrew Hurriel (1992).

[23] Existe una extensa literatura sobre la historia de las instituciones, regímenes y tratados interamericanos. Para un estudio detallado ver Gordon Connell-Smith (1966) y Margaret Ball (1969). Para un análisis más resumido y reciente ver Viron Vaky (1993).

consenso generalizado entre los analistas del tema, en que la estabilidad y continuidad institucional del sistema interamericano fue más un resultado de la estructura asimétrica de poder que del multilateralismo cooperativo.[24] Como afirmó Van Klaveren: "El mito de la comunidad de intereses en el Hemisferio Occidental, así como la ficción de la organización regional entre iguales, constituyen los fundamentos del sistema interamericano formado inmediatamente después de la Segunda Guerra Mundial".[25]

Desde su comienzo, las instituciones interamericanas, y particularmente la OEA, fueron una fuente de expectativas frustradas para los países latinoamericanos y los Estados Unidos. A medida que los temas políticos y militares de la Guerra Fría pasaron a dominar la agenda, la idea de que esas instituciones pudieran generar beneficios mutuos se fue desvaneciendo. Las iniciativas de cooperación económica no prosperaron y los gobiernos de América Latina se tornaron cada vez más resistentes a seguir las prescripciones contencionistas de los Estados Unidos en la región.[26]

Como resumió Vaky: "La Guerra Fría motivó que la acción de los Estados Unidos en la región se convirtiera en una fuente de discordia entre este país y América Latina, particularmente debido a la propensión estadounidense a la intervención tanto abierta como oculta para enfrentar lo que consideraba que eran amenazas ideológicas y de seguridad a la región".[27] Estas perspectivas negativas fueron revertidas brevemente a comienzos de la década del '60,

[24] El sistema interamericano es definido comúnmente como un conjunto de instituciones, regímenes y acuerdos bilaterales y multilaterales creados durante los años '40 para abordar las relaciones político-económicas entre los Estados Unidos y América Latina. La Organización de los Estados Americanos (OEA), el Tratado Interamericano de Asistencia Recíproca (TIAR) y los tratados militares bilaterales fueron las iniciativas que dieron sustento a este sistema.

[25] Alberto Van Klaveren (1986), p. 23.

[26] Un buen ejemplo de la insatisfacción de los gobiernos latinoamericanos frente a la política de los Estados Unidos de utilizar las instituciones interamericanas como instrumento para sus políticas de contención en la región se dio en 1962 cuando Cuba fue excluida de la OEA. Países de peso como la Argentina, Brasil, México y Chile no apoyaron la iniciativa estadounidense. Ver Gordon Connell-Smith (1966), G. Pope Atkins (1989).

[27] Viron Vaky (1993), p.11.

cuando la Alianza para el Progreso generó las expectativas de que Estados Unidos compensaría el alineamiento político con una sustancial ayuda económica. Sin embargo, las ilusiones se disiparon muy rápidamente y las relaciones interamericanas entraron en un período de creciente falta de consenso que transformó a sus instituciones en organizaciones burocráticas ineficaces.[28] A pesar de las reformas de la OEA y del TIAR, la crisis del multilateralismo interamericano no cesó y alcanzó su punto culminante con la guerra de las Malvinas/Falkland. En ese entonces la idea de una comunidad hemisférica se convirtió en un proyecto sin sentido.

Durante la década del '80 se tornó imposible separar el colapso de las instituciones interamericanas de las dificultades enfrentadas por las relaciones bilaterales entre los Estados Unidos y América Latina. Las políticas exteriores de corte autonomista estimularon percepciones conflictivas *vis-à-vis* los Estados Unidos, aún más a partir de la crisis de la deuda y de la escalada militar norteamericana en América Central. En contraste con las expectativas iniciales de Washington, la OEA servía como foro de acusaciones contra los Estados Unidos, y ya no cumplía la función de legitimar las acciones unilaterales de este país en la región. Vale la pena recordar que el reducido interés de los Estados Unidos por el multilateralismo había comenzado a ser un rasgo común de la política exterior de los Estados Unidos durante la última fase de la Guerra Fría, cuando alcanzó su apogeo el unilateralismo norteamericano.

El entusiasmo general de la posguerra fría por las instituciones y los regímenes intergubernamentales no tardó en afectar al sistema interamericano, particularmente a la OEA. Más aún, el lanzamiento del "Compromiso de Santiago con la Democracia y la Renovación del Sistema Interamericano" en 1991, apuntó a revitalizar los objetivos económicos, políticos y de seguridad de las institucio-

---

[28] El Consenso de Viña del Mar en 1969 constituye el punto de partida en esta dirección. Un grupo de gobiernos latinoamericanos firmó una declaración que reflejaba la frustración de América Latina con los programas de desarrollo económicos y sociales, particularmente con la Alianza para el Progreso. El Consenso enfatizó la necesidad de una mayor cooperación interamericana en distintas áreas, tales como comercio, transporte, financiamiento e inversión externa, ciencia y tecnología. Ver Kevin Middlebrook y Carlos Rico (1986).

nes interamericanas, de acuerdo con nuevos desafíos globales y regionales.[29]

Cuatro temas se han convertido en prioridades absolutas de la nueva agenda interamericana: comercio regional, defensa de la democracia, protección de los derechos humanos y seguridad colectiva. Mientras, por un lado, las nuevas condiciones políticas y económicas internacionales e intra-latinoamericanas estimulan la idea de que la ineficacia de los nuevos compromisos podría significar la pérdida de una oportunidad histórica, por otro lado se reconoce que, en relación con todos los temas, la mayoría de los obstáculos previos no han sido superados.

De hecho, la definición de políticas multilaterales para cada uno de estos temas ha suscitado diferencias entre los miembros de la comunidad interamericana. Deberían señalarse dos aspectos paradójicos en relación con las discordancias suscitadas. El primero es que nunca hubo tanta coincidencia respecto de estos cuatro temas en el ámbito interamericano. El libre comercio nunca ha sido tan defendido, las normas democráticas nunca han estado tan difundidas, las medidas de construcción de la confianza y los compromisos de no proliferación nunca han sido tan estrictamente observados y el respeto por los derechos humanos nunca ha sido tomado tan seriamente. Sin embargo, tales coincidencias no han permitido a los Estados de la región ir más allá de una convergencia mínima. Las tendencias pasadas y presentes de cooperación interestatal en América Latina pueden ayudar a explicar por qué.

Después de la Segunda Guerra Mundial, el desarrollo de una cooperación intra-latinoamericana estuvo subordinado en gran medida a la evolución de las relaciones interamericanas. Hasta la segunda mitad de este siglo, la interacción política entre los Estados de América Latina fue muy superficial, las relaciones comerciales insignificantes, y el intercambio cultural casi inexistente. Con frecuencia, una agenda interestatal negativa se tornaba más relevante que la positiva. En la medida en que las hipótesis milita-

[29] Ver Resolución 1080 de la OEA, "The Santiago Commitment to Democracy and the Renewal of the inter-American System", 21st General Assembly, Santiago, junio, 1991.

res de conflicto pesaban sobre la cultura política, y las elites económicas y políticas estaban más preocupadas en cultivar sus vínculos con sus pares europeos, era más fácil convivir con una agenda interestatal negativa que con una positiva en el ámbito latinoamericano.

A pesar de que los procesos políticos y económicos de la región enfrentaban desafíos similares, los Estados difícilmente identificaban intereses comunes que los pudieran llevar a iniciativas multilaterales relevantes. Herencias históricas similares y la proximidad geográfica no fueron capaces de generar una *gemeinschaft* apoyada en lealtades políticas en la región latinoamericana.[30] De hecho, la mayoría de las iniciativas de cooperación intra-regional no eran más que tributos formales al pensamiento bolivariano que contribuían a la disociación entre retórica y realidad. Más aún, dado que las interacciones inter-sociales intra-latinoamericanas eran muy limitadas, éstas eran frecuentemente bombardeadas por intereses anti-cooperativos que alimentaban una politización de cuño nacionalista.

Paradójicamente, a medida que la diplomacia multilateral interamericana apoyada por los Estados Unidos se expandió durante la década del '30 y, particularmente, durante la del '40, el concepto de cooperación intra-regional ganó un nuevo significado entre los Estados de América Latina. De hecho, la interacción económica y política entre los Estados de América Latina se expandió gradualmente a la sombra de la construcción del proyecto hegemónico estadounidense.

En tanto que el multilateralismo se tornó un instrumento relevante para la política hemisférica de los Estados Unidos, los países de la región enfrentaron por primera vez la necesidad de organizar sus intereses desde una perspectiva regional.[31] No se trata de igno-

---

[30] El concepto de *gemeinschaft* fue aplicado primero en sociología por Ferdinand Tönnies para el estudio de las comunidades. Ha sido usado también para analizar los sentimientos de lealtad y solidaridad que dan impulso al regionalismo. Ver Ferdinand Tönnies (1947). Ver también Ernst Haas (1975) y Paul Taylor (1975).

[31] Ver Demetrio Boersner (1982), Carlos Rangel (1976). Ver también Pope Atkins (1989).

rar el regionalismo interamericano previo comprometido con los ideales panamericanos. Sin embargo, como muchos autores señalan, el panamericanismo y la interminable lista de conferencias y encuentros realizados en su nombre nunca se transformaron en un multilateralismo efectivo.[32] Aquí vale la pena destacar algunos importantes aspectos relacionados con la política regional en América Latina.

El impacto de la hegemonía de Estados Unidos en la región ha servido como un factor catalizador para el institucionalismo latinoamericano. Esto ha sido así desde la década del '30 cuando la "política del buen vecino" se tornó una herramienta importante en la construcción del liderazgo global de los Estados Unidos.[33]

Al fin de la Segunda Guerra Mundial, a medida que los gobiernos latinoamericanos comenzaron a preocuparse por la posición internacional de la región en el nuevo orden mundial, temían que las instituciones globales pudieran restringir su autonomía. En respuesta, Estados Unidos se mostró más renuente a apoyar el regionalismo interamericano. En ese momento, los gobiernos latinoamericanos jugaron un rol importante en la creación de las Naciones Unidas que se tornó decisiva para el establecimiento de la línea divisoria entre regionalismo y universalismo en la política

---

[32] La primera Conferencia Internacional de los Estados Americanos se realizó en Washington (1889-90). Esta Conferencia creó la Unión Internacional de Estados Americanos e inició una serie de diez Conferencias regulares, la última de las cuales tuvo lugar en 1954 –llamada Conferencia Interamericana–. La Conferencia de Buenos Aires (1910) denominó al sistema general como Unión de Repúblicas Americanas y creó la Unión Panamericana. Más tarde, la Conferencia de La Habana (1928) denominó al sistema como Unión de Estados Americanos. La octava Conferencia (Lima 1938) creó la Conferencia Interamericana de Consulta de Ministros de Relaciones Exteriores que realizó veinte reuniones en el período 1939-1982.

[33] Cuando Nye introdujo el concepto de "catalizador", él lo consideraba "(...) casi una condición necesaria para la integración en un área subdesarrollada". Aunque es una lástima que Nye no haya elaborado más extensamente el concepto de "catalizador" como variable funcional para la integración regional, la puerta quedó abierta para un uso más flexible de la idea. En este trabajo, es importante subrayar el uso del catalizador como variable funcional y no como estructural. Un catalizador debe ser entendido como una variable que pertenece a un proceso y no a una realidad estructurada. Ver Joseph Nye (1968), p. 347.

mundial.[34] Al final, se alcanzó un compromiso ambiguo "(...) permitiendo que los campeones del regionalismo afirmasen que habían obtenido una clara victoria por la autonomía y primacía de las agencias regionales, y que los universalistas se congratularan de que la supremacía del Consejo de Seguridad en los asuntos que afectaban la paz y la seguridad no había sido perjudicada".[35]

En este punto, sin embargo, los Estados latinoamericanos percibieron el regionalismo interamericano como una conquista en el sistema mundial que simultáneamente favorecería las negociaciones multilaterales intra-latinoamericanas e interamericanas. América Latina también percibió el regionalismo interamericano como crucial para fortalecer su poder de negociación, para obtener compensaciones políticas y económicas por su apoyo a la derrota del nazismo.

No obstante, a medida que emergió el sistema bipolar y la contención se convirtió en la prioridad de la política exterior de los Estados Unidos, el concepto de regionalismo en las Américas se modificó. La resistencia de los Estados Unidos al regionalismo interamericano desapareció y sus instituciones se tornaron herramientas de la Guerra Fría. Por casi tres décadas, los Estados Unidos asumieron el liderazgo de las instituciones interamericanas, imponiendo sobre los Estados latinoamericanos la carga de pertenecer a su esfera de influencia. Como señala Claude "(tal) cambio sólo puede ser entendido como un aspecto de la política de resistencia de los Estados Unidos al expansionismo soviético".[36]

Pero es importante enfatizar que este cambio fue costoso para América Latina y, también, para las relaciones hemisféricas. El creciente desacuerdo sobre asuntos económicos y sociales afectó las relaciones entre Washington y los gobiernos de América Latina, cuyas "(...) demandas de mayor ayuda económica, las críticas al

---

[34] El momento decisivo del regionalismo latinoamericano posterior a la Segunda Guerra Mundial ocurrió en la Conferencia Interamericana sobre los Problemas de la Guerra y la Paz realizada en la ciudad de México que culminó en la firma del Acta de Chapultepec en marzo de 1945. Ver David Green (1971), Irwin Gellman (1979) e Inis L. Claude (1968).
[35] Inis Claude (1968), p.10.
[36] Inis Claude (1968), p. 17.

proteccionismo estadounidense, los problemas del comportamiento corporativo multilateral en la región y la demanda por mayor comprensión por parte de Washington hacia las transformaciones económicas internas"[37] se convirtieron en un motivo de quejas y recriminaciones constantes.

Mientras los Estados Unidos utilizaban las instituciones interamericanas para cuestiones estrictamente vinculadas con la Guerra Fría, los Estados de América Latina comenzaron a pensar que era necesario promocionar el multilateralismo intra-latinoamericano para enfrentar desafíos económicos comunes. El nacionalismo económico fue entonces emparejado con las estrategias defensivas regionales, un esfuerzo por compensar la negligencia de los Estados Unidos en la posguerra. De esta manera, se impulsaron las iniciativas de integración regional y cooperación económica, comenzando con la Comisión Económica para América Latina (CEPAL) de Naciones Unidas, en 1952.[38] Estas iniciativas fueron concebidas como instrumentales para las estrategias de sustitución de importaciones, ya que la integración regional serviría para ampliar los mercados internos y mejorar las condiciones de industrialización en la región.[39]

Muchos análisis económicos y políticos han explicado por qué esas iniciativas no tuvieron éxito.[40] En casi todos los casos estas iniciativas sufrieron un estancamiento a mediados de la década del '70, y se desintegraron virtualmente en la década del '80 frente a "(...) circunstancias externas adversas, crisis de endeudamiento regional de proporciones catastróficas, poder político declinan-

[37] Alberto Van Klaveren (1986), p. 31.

[38] Las iniciativas más importantes de integración económica en América Latina han sido: la Asociación de Libre Comercio de América Latina (ALALC) y el Mercado Común de América Central en 1960, el Área de Libre Comercio del Caribe en 1968 y el Grupo Andino en 1969. Los organismos de planeamiento y consulta económica más importantes han sido la Comisión Económica para América Latina de Naciones Unidas creada en 1952 y el Sistema Económico Latinoamericano creado por la Declaración de Panamá en 1981.

[39] Ver Raúl Prebisch (1950) y (1964). Para un análisis de las motivaciones políticas e ideológicas detrás de la experiencia de la CEPAL, ver Octavio Rodrigues (1980).

[40] Ver Miguel Wionczek (1981), (1970) y (1964).

te, un conflicto intra-regional violento (América Central) y una cambiante ética de la competencia".[41] Debido al fracaso de los intentos de integración regional para alcanzar sus metas originales de comercio intra-regional, y a la luz de la proliferación de los regímenes autoritarios en América Latina, los vínculos interestatales e inter-sociales fueron fuertemente restringidos.

A pesar de este escenario tan escéptico, América Latina experimentó una nueva etapa en sus relaciones intra-regionales durante la década del '80. Mientras la interacción económica entre los Estados de la región pasaba por una de sus peores etapas, se observaron progresos en el ámbito de la cooperación política. La cooperación fue nuevamente estimulada por la negligencia de los Estados Unidos, esta vez en el campo de la seguridad regional. Los Estados de América Latina se sintieron fuertemente agraviados por la actuación estadounidense durante la guerra de Malvinas/Falkland, e interpretaron el episodio como el golpe final a la credibilidad de los mecanismos de seguridad colectiva. Así, el impacto de la Guerra del Atlántico Sur en 1982 sobre los instrumentos hemisféricos tales como el TIAR obligó a una profunda re-evaluación del sistema interamericano.

Este proceso se complicó más aún cuando surgieron los desacuerdos entre Estados Unidos y América Latina en relación con la crisis de América Central, así como con la crisis de la deuda externa de la región. En el caso de la crisis centroamericana, la coordinación intra-regional fue motivada por una creencia compartida de que las políticas de los Estados Unidos, como las de otras potencias extranjeras, habían llevado a una escalada militar que amenazaba a toda la región latinoamericana. Se llevaron a cabo esfuerzos diplomáticos por medio de procedimientos innovadores –primero por cuatro y posteriormente por ocho gobiernos latinoamericanos–, centrados en el desarrollo de alternativas políticas para solucionar la crisis subregional.

Las experiencias de Contadora (1983) y el Grupo de Apoyo a Contadora (1985) fueron más importantes por lo que evitaron que por lo que lograron.[42] Su logro más relevante fue estimular a los

---

[41] Percy Mistry (1995), p.13.
[42] Ver Luis Maira (1985) y Carlos Rico (1990).

gobiernos de América Central para alcanzar una solución diplomática (el Plan Arias, Esquipulas I y II) para llevar la paz a la región.[43] Como se ha afirmado: "Para sorpresa de muchos, y a pesar de las objeciones de importantes fuerzas políticas dentro y fuera de la región, los centroamericanos alcanzaron un acuerdo sobre negociaciones regionales para poner fin a una década de violencia".[44] Es importante, sin embargo, no sobrestimar las iniciativas diplomáticas regionales y subregionales, dado que su efectividad no puede ser disociada de las negociaciones entre las dos superpotencias que condujeron al fin de la Guerra Fría.[45]

La cooperación intra-regional para enfrentar la crisis de la deuda externa fue menos efectiva. Lanzado con gran entusiasmo en 1984, el Consenso de Cartagena "(...) buscó fortalecer la posición negociadora de los países deudores *vis-à-vis* los acreedores externos, y convencer a los países industrializados y a los bancos comerciales internacionales de cargar con una mayor parte de responsabilidad en resolver la crisis de la deuda".[46] A pesar de las dificultades enfrentadas por la mayoría de los países de la región para cumplir con sus obligaciones financieras, esta iniciativa perdió su *momentum* a medida que aumentó el temor por parte de los Estados miembros latinoamericanos en cuanto a los costos de politizar sus negociaciones financieras. Contra las expectativas iniciales que se tenían en el Sur y las preocupaciones que existían en el Norte, el Consenso de Cartagena no se convirtió en un cartel de deudores, y hacia 1986, la mayoría de sus miembros había iniciado ya sus propios acuerdos individuales de refinanciación de la deuda con las instituciones multilaterales de crédito y los gobiernos acreedores. Así, cada año, los contenidos de las reuniones y las declaraciones del Grupo de Cartagena se volvieron más retóricas y perdieron su nexo con la realidad. Como resultado, el Consenso de Cartagena desapareció en 1988.

[43] Ver Gabriel Aguilera Peralta, Abelardo Morales y Carlos Sojo (1991).
[44] Luis Solis (1994), p. 113.
[45] En efecto, Terry Lynn Karl sostiene que el proceso de paz de El Salvador fue repaldado por los Estados Unidos y la Unión Soviética. Ver Terry Lynn Karl (1992), p.159.
[46] Kevin Middlebrook y Carlos Rico (1986), p. 23.

A pesar de que las dos experiencias brevemente descriptas no cumplieron sus expectativas originales, ellas tuvieron un impacto importante en las relaciones intra-latinoamericanas llevando a la creación del Grupo de Río (conocido primero como Grupo de los 8). Así, las iniciativas de metas únicas fueron reemplazadas por un mecanismo de objetivos múltiples que apuntaba a tratar los temas de la agenda internacional de la región. No obstante, poco a poco, el Grupo de Río se fue transformado en un foro para la diplomacia presidencial latinoamericana, operando sobre una base de consensos mínimos.

Desde su creación en 1986, los Estados miembros han estado más en desacuerdo que de acuerdo, y el Grupo ha sido más efectivo en decidir qué no hacer antes que en definir un accionar efectivo.[47] Por un lado, los Estados miembros comparten la opinión de que es mejor evitar su institucionalización; pero, por otro lado, la flexibilidad operacional no ha mostrado ninguna verdadera ventaja. El Grupo de Río ha sido un actor tímido en todas las recientes crisis políticas dentro y entre los Estados de América Latina, y ha jugado un rol limitado en las asociaciones económicas intra-regionales. Es difícil, también, darle al Grupo de Río algún crédito por la consolidación democrática o por el respeto por los derechos humanos en América Latina.

El Grupo ha funcionado básicamente como una plataforma para actos de repudio colectivo, mientras ha ofrecido a los Estados de la región un mecanismo que les permite abstenerse de involucrarse más de cerca en las situaciones de crisis regionales. Una falla básica del Grupo de Río ha sido su incapacidad en ganar el reconocimiento de Estados Unidos como mecanismo de representación política de la región latinoamericana, no obstante sus esfuerzos en este sentido en la comunidad internacional. Es interesante que este reconocimiento haya sido más fácilmente logrado con la Unión Europea.[48]

[47] Ver Alicia Frohmann (1994) y Boris Yopo (1991).
[48] Desde 1990 la Unión Europea y el Grupo de Río han llevado a cabo distintas negociaciones que incluyen encuentros anuales de consulta política y apoyo técnico para la integración regional.

Mientras la coordinación política entre los gobiernos latinoamericanos no ha crecido de acuerdo con las expectativas previas, ha habido un incremento de las iniciativas de integración regionales. Desde comienzos de la década del '90, se observa una ola renovada de acuerdos de comercio bilaterales y minilaterales generando –en ciertos casos– un incremento de flujos de inversión y comercio en el área. Este tipo de iniciativas ha sido motivada por las nuevas políticas económicas adoptadas en la región y, particularmente, por sus medidas de liberalización comercial.[49]

Sin duda, los crecientes puntos en común entre esas políticas han contribuido a aumentar la cooperación interestatal. Hay actualmente 22 acuerdos comerciales diferentes en el hemisferio americano, de los cuales 18 son exclusivamente latinoamericanos. Muchos de los acuerdos son el resultado de la reactivación y reformulación de pactos comerciales previos y otros son nuevos. A pesar de que no puede cuestionarse que el *boom* de los acuerdos comerciales regionales revela un paso decisivo de América Latina hacia el abandono del proteccionismo previo, no debería confundirse esto con un proceso homogéneo de integración regional que inevitablemente conducirá a una nueva era de multilateralismo económico en el área. También es importante señalar que, en todos los casos, la institucionalización ha sido mantenida en un nivel mínimo mientras la soberanía ha sido preservada como un elemento vital para llevar adelante las negociaciones interestatales.

4. Dificultades en la posguerra fría

El fin de la Guerra Fría originó nuevos temas y nuevos actores que afectan directamente los asuntos internacionales latinoamericanos. A pesar de que esta región no ha asumido un rol protagónico en el diseño de la agenda de la posguerra fría, ha sido afectada por sus desarrollos, tanto económicos como políticos.

El principal problema para la región ha sido su dificultad en asumir una posición activa mientras los actores gubernamentales y no

---

[49] Este proceso es analizado en detalle en el capítulo 3 de este libro.

gubernamentales implementan nuevas reglas de juego globales y regionales para hacer frente a esta nueva agenda. Esto, sin duda, se ha convertido en el desafío central que se presenta a las instituciones de gobierno interamericanas e intra-latinoamericanas. ¿Por qué las difundidas prácticas democráticas y la reforma económica han mostrado ser insuficientes en darle ímpetu al multilateralismo interamericano e intra-latinoamericano en un mundo en el cual las instituciones son percibidas como un fuente crucial de estabilidad?[50]

Para responder a esta cuestión debemos considerar dos obstáculos básicos: primero, los efectos actuales de los recursos asimétricos de poder sobre el multilateralismo interamericano e intra-latinoamericano; segundo, las dificultades causadas por las diferencias políticas que prevalecen entre los Estados latinoamericanos.

PRIMER OBSTÁCULO

El desarrollo actual del institucionalismo interamericano e intra-latinoamericano permite ilustrar los diferentes patrones de regionalismo que se manifiestan en el nuevo orden mundial. Como una esfera de influencia estable de Estados Unidos, América Latina no absorbe el reciente *boom* mundial de institucionalismo siguiendo los mismos patrones de otras regiones, especialmente de aquéllas en Europa Occidental donde el multilateralismo intra-regional se ha diseminado por casi cincuenta años. En el caso de las relaciones interamericanas e intra-latinoamericanas "las instituciones tienen una influencia mínima sobre el comportamiento estatal (...)" tal como lo sigue afirmando el enfoque realista.[51]

La idea actual de que se deben revitalizar rápidamente las instituciones, y particularmente la OEA, se ha visto reforzada por un "consenso": hay que hacer frente a una nueva agenda común en el hemisferio americano. Junto con la necesidad de crear nuevos instrumentos para defender los gobiernos democráticos en América, se han realizado esfuerzos cooperativos para abordar asuntos tales como los derechos humanos, el comercio regional, el narcotráfico,

[50] Ver Robert Keohane (1992).
[51] John Mearsheimer (1994/1995), p.7.

el medio ambiente y las migraciones.[52] Una gran dificultad que se planteó para llevar a cabo esta misión institucional ha sido la naturaleza ambigua de los incentivos detrás de la institucionalización interamericana. Mientras Estados Unidos ha asumido el liderazgo en este proceso, se ha tornado más difícil diferenciar las preocupaciones políticas de las de seguridad, así como precisar el verdadero significado de la gobernabilidad regional para los Estados Unidos en relación con América Latina.

La superposición de las preocupaciones políticas y de seguridad se ha vuelto inequívoca en los intentos recientes de Estados Unidos de promover el concepto de seguridad cooperativa regional en el hemisferio, con el apoyo de algunos Estados latinoamericanos.[53] Así, el Departamento de Defensa de Estados Unidos ha apoyado la reactivación del Comité Consultivo de Defensa de la OEA para dirigir la mejora de las relaciones cívico-militares en la región, y las reformas de la Junta Interamericana de Defensa y la Escuela Interamericana de Defensa para ayudar a difundir el concepto de la seguridad cooperativa en América Latina.

Como han observado correctamente Buchanan y Jaramillo: "Las áreas más problemáticas para los intereses del Departamento de Defensa son aquéllas donde se hace difusa la línea entre funciones de seguridad interna y externa, guerra convencional y no convencional, luchas políticas y criminales y fronteras nacionales e internacionales".[54] De este modo, entrelazar los intereses de defensa de los Estados Unidos con las iniciativas de seguridad regional puede llevar a un tipo de neo-intervencionismo impuesto en nombre de valores democráticos incuestionables. Esto permite a Buchanan y Jaramillo plantear el siguiente interrogante: "¿En qué punto los acuerdos de seguridad cooperativa violan el derecho a la autodeterminación nacional y la autonomía?".[55]

[52] Ver OEA (1995).
[53] Ver Consejo Permanente de la Organización de Estados Americanos, Comisión Especial sobre Seguridad Hemisférica "Aportes a un Nuevo Concepto de Seguridad Cooperativa", mayo 1993.
[54] Paul Buchanan y Mari-Luci Jaramillo, "United States Defense Policy for the Western Hemisphere", en North-South, julio-agosto 1994, p. 9.
[55] *Ibíd.*

La renovada misión institucional interamericana ha enfrentado también dificultades en relación con asuntos que son estrictamente políticos. A pesar de que la democracia es, de manera innegable, un valor compartido entre y dentro de los Estados de América Latina, el medio y los actores políticos que aseguran su continuidad no son necesariamente los mismos que aquéllos de los Estados Unidos.

La gobernabilidad, transparencia y responsabilidad se han vuelto conceptos mágicos y confusos en las relaciones entre este país y América Latina desde que el gobierno de Clinton ha anunciado su intención de promover una comunidad de democracias en las Américas.[56] Durante los preparativos para la Cumbre de Presidentes y Primeros Ministros de las Américas en 1994, los Estados Unidos dejaron en claro cuál esperaban que fuera la respuesta latinoamericana en relación con el nuevo compromiso democrático.[57] Las expectativas de los Estados Unidos fueron en gran parte alimentadas por las posiciones de un conjunto de organizaciones, agencias e instituciones académicas que trabajan con los temas y políticas específicas incluidas en la agenda de la Cumbre.

En este contexto, las ONGs han aumentado considerablemente su influencia sobre la política de los Estados Unidos para América Latina en los últimos años, tanto en el nivel bilateral como multilateral. Como es bien sabido, la participación de las ONGs en la política internacional ha sido un fenómeno global vinculado con las crecientes interacciones inter-sociales asociadas a la interdependencia compleja. Mientras los gobiernos han sido los principales actores en las organizaciones internacionales "..debido a su creciente conocimiento y participación en los asuntos internacionales, las ONGs han ganado una autonomía real de los Estados incluso dentro de las organizaciones intergubernamentales".[58]

En los asuntos interamericanos, y particularmente en la OEA y el BID, las ONGs han ampliado su influencia en áreas tales como derechos humanos, medio ambiente y estándares laborales en un es-

---

[56] Ver "Clinton Administration Statements about Foreign Policy Philosophy and Goals", Washington, The White House, 1992.
[57] Ver Ellen Dorsey (1993).
[58] Ann Marie Clark (1995), p. 512.

fuerzo por configurar las posiciones de los gobiernos de Estados Unidos y América Latina. Sin embargo, es importante tener en cuenta que este esfuerzo no parte de realidades internas similares, dado que la presencia de las ONGs en los Estados Unidos y Canadá son bastante diferentes de aquellas observadas en los países latinoamericanos. Esta diferencia es aún más notable cuando se considera la formulación de la política exterior de esos países. En el caso de las instituciones interamericanas esta diferenciación puede agravar las asimetrías Norte-Sur dado que multiplica las presiones y los intereses de aquellos que se sientan del lado más poderoso de la mesa.

Un último aspecto para mencionar en relación con los recursos de poder asimétricos es la importancia atribuida a las negociaciones comerciales regionales. Desde que se lanzó la Iniciativa para las Américas en junio de 1990, los Estados de América Latina han estado discutiendo su elegibilidad para negociar acuerdos de libre comercio con los Estados Unidos.[59] Cuando el gobierno norteamericano –imaginando un Acuerdo de Libre Comercio de América del Norte– aceptó negociar con México, la posibilidad de que los Estados Unidos hubieran iniciado un proceso de conversión hacia el regionalismo planteó una serie de dudas para los gobiernos latinoamericanos. La primera se refería al efecto demostrativo del NAFTA en la región, generándose interrogantes como: "México primero, ¿después qué?"[60]

En vez de estimular un clima cooperativo entre los Estados de América Latina, la negociación del NAFTA llevó a la fragmentación y a los típicos celos intra-regionales. Este hecho se evidenció particularmente con las dificultades en las negociaciones entre México y los otros miembros de la ALADI para la armonización del NAFTA con los acuerdos comerciales regionales previos.[61] A medida que las negociaciones entre México y Estados Unidos progresaron, los gobiernos de América Latina se interesaron por repetir acuerdos

[59] Ver Richard Lipsey (1992), y Refik Erzan y Alexander Yeats (1992). Ver también Roberto Bouzas y Jaime Ros (1994).
[60] Sylvia Saborio (1992).
[61] Joseph Grieco ha desarrollado la idea de los celos interestatales cuando trabaja sobre el deseo de los Estados por cooperar. Entre sus críticas al neoliberalismo, Grieco dice que éste no reconoce la relación "(...) entre la anarquía interestatal y los celos racionales del Estado", ver Joseph Grieco (1987).

comerciales de este tipo y trataron de mejorar su capacidad de hacer "lobby" en Washington, con el propósito de no quedar afuera de futuras negociaciones.

No obstante, las crecientes restricciones políticas internas norteamericanas empezaron a generar visiones pesimistas, en las cuales México aparecía como lo más lejos a donde irían los Estados Unidos en materia de negociaciones comerciales hemisféricas. En un primer momento parecía que Chile sería la única excepción.

En este contexto, vale la pena mencionar que la dimensión institucional de las negociaciones comerciales entre los Estados Unidos y América Latina se tornó un aspecto particularmente difuso. Las instituciones regionales existentes tales como la OEA, el BID y la CEPAL han jugado hasta ahora un rol marginal, tanto para establecer la agenda como para articular los intereses gubernamentales y no gubernamentales vinculados con las negociaciones comerciales y/o los efectos secundarios que éstas causan. Más aún, la carencia de coordinación interestatal multilateral, en relación tanto con las iniciativas comerciales bilaterales y minilaterales intra-latinoamericanas como con las interamericanas, ha aumentado el poder coercitivo de Estados Unidos para inducir a la adopción de políticas económicas de alcance doméstico e internacional.

Ambos desarrollos, de carácter netamente anárquico, han contribuido a la profundización y la ampliación de las asimetrías en las relaciones entre los Estados Unidos y América Latina, llevando a un círculo vicioso en el cual las deficiencias de un proceso agravan tendencias estructurales previas.

SEGUNDO OBSTÁCULO

Las transformaciones globales de la posguerra fría han coincidido con un período de importantes cambios políticos y económicos para los Estados de América Latina. La transición y la consolidación democrática junto con las reformas económicas de orientación liberal han tenido un gran impacto en los asuntos internos e internacionales de la región. Sin duda, las nuevas preocupaciones económicas y de seguridad global plantean cuestiones relevantes para todos los gobiernos de la región.

Debería observarse, sin embargo, que el cambio de las polaridades en la política mundial ha tenido un efecto diferenciado sobre las políticas exteriores latinoamericanas. Diferentes interpretaciones sobre el fin del sistema bipolar han llevado a la formación de distintas percepciones en relación con los costos y los beneficios del fin de la Guerra Fría. Es útil en este caso hacer uso de la distinción "cuantitativa-cualitativa" entre estas interpretaciones.[62] Esta distinción ayuda a explicar las diferentes posturas que los Estados latinoamericanos han mantenido *vis-à-vis* las transformaciones políticas mundiales.

Los países que han cambiado sus diseños de política exterior partiendo de la constatación de un mundo de posguerra fría dramáticamente transformado –como la Argentina y Venezuela– se muestran más comprometidos con los esfuerzos por fortalecer iniciativas de gobernabilidad regional con una orientación global. Estas iniciativas, promovidas en nombre de un institucionalismo hemisférico, son, sin embargo, demostraciones "de facto" de estrategias de neo-alineamiento con los Estados Unidos. Por otro lado, los países que han apenas ajustado sus premisas de política exterior –como Brasil, Colombia, Cuba y Perú– quitándole énfasis a la importancia de los cambios cualitativos de la posguerra fría, están más preocupados por los problemas de distribución del poder en los niveles regional y global.

Las diferencias de política exterior entre los países de América Latina han sido evidentes en los foros multilaterales interamericanos, particularmente en la OEA. Como ha mencionado Bloomfield, ha existido una distinción clara entre un grupo "no intervencionista" y un grupo "activista" en diferentes temas, especialmente aquéllos que afectan los conceptos tradicionales de soberanía;

---

[62] Hans Henrik Holm y Georg Sorensen usan esta distinción cuando se refieren al tipo de cambios ocurridos después del fin de la Guerra Fría en las relaciones. De acuerdo con esa distinción, hay dos interpretaciones que rivalizan sobre el fin de la Guerra Fría. Mientras algunos consideran que ha habido un cambio cualitativo en la política internacional, otros minimizan el alcance y el nivel de la transformación ocurrida y afirman que "...el fin de la Guerra Fría significa meramente cambios en la distribución del poder dentro de un sistema anárquico de Estados..." Ver Hans Holm y Georg Sorensen (1995).

por ejemplo, la creación de un régimen contra golpes de Estado.[63] Recientemente, las diferencias intra-regionales fueron agravadas por las preocupaciones neo-nacionalistas de algunos Estados latinoamericanos y aún alimentadas por viejas disputas limítrofes.

Los intereses económicos permitieron estrechar las relaciones intra-regionales. Sin duda, las asociaciones de libre comercio bilateral y minilateral han sido en los últimos años el medio más importante para expandir el nivel de *gesellschaft* entre los Estados latinoamericanos.[64] Así, la mayoría de las políticas exteriores en América Latina han adoptado un enfoque pragmático hacia las relaciones intra-regionales en las cuales los intereses comunes son identificados básicamente con la cooperación económica.[65] En este contexto, los impulsos cooperativos –tanto en el nivel gubernamental como en el social– han estado directamente vinculados con la expansión del comercio y la inversión intra-regional, en el cual lo ha servido como un impulso más para la liberalización económica unilateral.

5. COMENTARIOS FINALES

Las hipótesis presentadas en las secciones anteriores pueden ciertamente conducir a una visión escéptica sobre el presente y el futuro de las instituciones regionales en el hemisferio americano. Sin embargo, los cambiantes patrones de la política y la economía mundial repercuten sobre las relaciones interestatales e inter-socia-

[63] Ver Richard J. Bloomfield (1994).

[64] El concepto de *gesellschaft* fue usado por Ferdinand Tonnies para desarrollar el concepto sociológico de sociedad. Éste fue posteriormente aplicado por los neo-funcionalistas para identificar el proceso de integración como una asociación entre intereses competitivos. Ver Ernst Haas (1975), Paul Taylor (1975); y Ferdinand Tonnies (1947).

[65] Para la política exterior colombiana ver Diego Cardona y Juan Tokatlián (1991); Diego Cardona (1992). Para el caso de Venezuela ver Andrés Serbin (1993). Para la política exterior de Perú ver Eduardo Ferrero Costa (1993). Para la política exterior de Argentina ver Roberto Russell (1994). Para la política exterior de Chile ver Carlos Portales (1992). Para la política exterior de Brasil ver Maria Regina Soares de Lima (1994). Para la política exterior de México ver Jesús Herzog (1993), Raúl Ampudia (1993).

les de la región. Como resultado, un conjunto de indicadores podría estar señalando nuevas tendencias. Nuevas facetas en las relaciones interamericanas e intra-latinoamericanas podrán contribuir a impulsar la cooperación interestatal y el multilateralismo en esta región. Las cinco facetas brevemente descriptas a continuación indican que aunque sean innegables las tendencias anti-cooperativas en los asuntos hemisféricos, ellas coexisten hoy con vocaciones de carácter cooperativo.

La *primera* faceta se refiere a las implicancias de la estructura asimétrica de poder en las relaciones interamericanas, lo que da origen a la caracterización de América Latina como esfera de influencia de los Estados Unidos. Como afirmó Bull, las esferas de influencia pueden involucrar dinámicas interestatales positivas y negativas.[66] Cuando la motivación para asumir la preponderancia en ciertas áreas no es más promovida por la necesidad de excluir a otros poderes, se hace más fácil construir una esfera de influencia positiva basada en una división del trabajo entre las partes con el objetivo de "(...) realizar una tarea común".[67] Así, el fin de la Guerra Fría y el hecho de que América Latina no enfrenta ningún tipo de amenaza extra-regional o intra-regional mejoran las chances de profundizar la noción de responsabilidades y obligaciones compartidas entre el Norte y el Sur de las Américas.

Puede ser ilustrativo en este caso mencionar las diferencias entre las presiones impuestas sobre los Estados de América Latina y sobre las ex-repúblicas soviéticas; hoy por hoy las dos áreas de influencia remanentes en el sistema mundial. A pesar de que ambas regiones se encuadran en escenarios estructurales similares, los patrones de interacción económica, política y militar en los cuales ellos participan son esencialmente diferentes.[68] La actual convergencia de valores económicos y políticos ha fortalecido los intereses recíprocos en profundizar los lazos interamericanos. También es cierto que la cooperación regional no ha sido acompa-

[66] Hedley Bull (1977).
[67] *Ibíd*, p. 222.
[68] La utilización de la Doctrina Monroe como paradigma de las actuales políticas de Rusia *vis-à-vis* las repúblicas ex-soviéticas puede encontrarse en Elaine Holoboff (1994) y Alvin Rubinstein (1994).

ñada por demostraciones unilaterales de fuerza, como ha ocurrido en la Rusia post-comunista.

La *segunda* faceta se refiere a la percepción común en América del Norte y del Sur de que se deben preservar y fortalecer las instituciones internacionales en el nuevo orden mundial. Sin embargo, las variables políticas parecen favorecer más fuertemente la promoción de la institucionalización internacional en el nivel global e interamericano que en el nivel intra-latinoamericano.

Varios gobiernos latinoamericanos han mostrado su interés por un multilateralismo efectivo y renovado. Ejemplos recientes incluyen el amplio apoyo latinoamericano a la creación de la OMC, el Plan de Acción de la Cumbre de las Américas en el cual se espera que la OEA y el BID aumenten sus responsabilidades, la propuesta argentina para crear un régimen de seguridad cooperativa y la reciente cruzada encabezada por Brasil en demanda de una amplia reforma de las instituciones multilaterales de crédito y del sistema de las Naciones Unidas. Como señaló Ruggie, es importante no "(...) equiparar el fenómeno mismo del multilateralismo con el universo de la organización multilateral y la diplomacia".[69] ¿Pueden los Estados Unidos y América Latina coordinar sus expectativas en cuanto a principios generales de conducta? ¿Puede el multilateralismo tener el mismo significado para ambos lados? Este desafío deberá ser enfrentado en el proceso actual de reforma de la OEA.[70] De hecho, en los próximos años los resultados de esta reforma se convertirán en la señal más importante respecto del institucionalismo regional.

La *tercera* faceta se refiere a la inclusión reciente de Canadá en la comunidad interamericana y particularmente el impacto político de esta incorporación para las instituciones de gobernabilidad regional. Como es sabido, Canadá ha sido un actor destacado en la defensa del multilateralismo en la comunidad internacional, un participante activo en las operaciones de paz en la posguerrra

[69] John Ruggie (1993), p.17.
[70] Ver OEA (1995). Este documento presenta una descripción completa de los objetivos contenidos en la reforma política y administrativa de este organismo, puesta en marcha desde 1994.

fría y un insistente opositor a las cruzadas ideológicas de los Estados Unidos en América Latina. La presencia de Canadá también puede ayudar a atenuar la estructura asimétrica que siempre ha restringido al multilateralismo interamericano y, a pesar de ser indiscutiblemente un actor internacional relevante, este país no representa una amenaza económica o política para la región latinoamericana. Pero este potencial todavía debe ser desarrollado, sin la mediación de los intereses y las presiones de los Estados Unidos, en una agenda concreta de colaboración y lazos más estrechos entre Canadá y los Estados de América Latina.

La *cuarta* faceta alude al hecho de que los lazos económicos intra-hemisféricos se han incrementado enormemente en los últimos años tanto en la dirección Norte-Sur como en la Sur-Sur. El crecimiento en los flujos de inversión y comercio en la región ha sido estimulado por la liberalización comercial unilateral, los acuerdos económicos regionales y la estabilidad macroeconómica. En ambos casos la interacción social se ha expandido y continuará haciéndolo, llevando a la creación de nuevas redes de intereses. Las interacciones transfronterizas en el ámbito de la política, la actividad cultural y las diferentes formas de organización social constituyen un nuevo dato para la región.

La *quinta* faceta se refiere a la relativa inmunidad de las Américas a los nuevos problemas de seguridad mundiales –como las guerras civiles, el terrorismo y el crimen organizado– particularmente en cuanto a sus efectos sobre las relaciones interestatales. La violencia es esencialmente un problema interno del hemisferio americano. Aunque no está todavía consolidada, la paz inter-democrática tiende a prevalecer en la región. Se trata de una vocación incompleta que ocasionalmente puede fallar, como ocurrió cuando estalló la guerra entre Perú y Ecuador. Los compromisos de no proliferación se han incrementado notablemente, las políticas de balance militar y las hipótesis de conflicto encuentran un limitado apoyo interno, y las relaciones entre civiles y militares, a pesar de que no siguen siempre el mismo patrón, tienden a fortalecer las prácticas democráticas.

Es importante, sin embargo, reconocer que en el caso de los Estados latinoamericanos, la paz, la democracia y los acuerdos comerciales regionales no alterarán el concepto de soberanía a menos que la distribución desigual de poder sea de hecho atenuada por las instituciones multilaterales.

BIBLIOGRAFÍA

Aguilera Peralta, Gabriel, Abelardo Morales y Carlos Sojo (1991), *Centroamérica: De Reagan a Bush*, San José: FLACSO.

Ampudia, Raúl (1993), "El liberalismo social en la nueva vinculación con el mundo: la política exterior del gobierno de Carlos Salinas de Gortari", *Revista Mexicana de Política Exterior*, N. 39, Verano.

Atkins, G. P. (1989), *Latin America in the international political system*, Boulder: Westview Press.

Ball, Margaret (1993), *The OAS in transition*, Durham: Duke Univ. Press.

Bloomfield, Richard J. (1994), "Making the Western Hemisphere safe for democracy? The OAS Defense-of-Democracy Regime", en Carl Kaysen, Robert Pastor y Laura Reed, eds., *Collective responses to regional problems: The case of Latin American and the Caribbean*, Cambridge: American Academy of Arts and Sciences.

Boersner, Demetrio (1982), *Relaciones internacionales de América Latina: Breve historia*. México: Nueva Imagen.

Bouzas, Roberto y Jaime Ros (1994), "The North-South variety of economic integration", en Roberto Bouzas y Jaime Ros, eds., *Economic integration in the Western Hemisphere*, Notre Dame: Univ. of Notre Dame Press.

Buchanan, Paul y Mari-Luci Jaramillo (1994), "United States Defense Policy for the Western Hemisphere", en *North-South*, July-August.

Bull, Hedley (1977), *The anarchical society*, London: The Macmillan Press.

Cardona, Diego (1992), "El primer bienio de la administración Gaviria: algunas reflexiones sobre su política exterior", *Colombia Internacional*, N. 19, julio- septiembre.

Cardona, Diego y Juan Tokatlián (1991), "Los desafíos de la política internacional colombiana en los noventa", *Colombia Internacional*, N. 14, abril-junio.

Castañeda, Jorge (1993), *Utopia unarmed*, New York: Alfred Knopf.

Chomsky, Noam (1992), "A view from below", en Michael Hogan, ed., *The end of the Cold War: its meaning and implication*, Cambridge: Cambridge Univ. Press.

Clark, Ann Marie (1995), "NGOs and their influence on international society", *Journal of International Affairs*, Vol. 48, N. 2, Winter.

Claude, Inis L. (1968),"The OAS, the UN and the United States", en J. Nye, ed., *International Regionalism*, Boston.

Coatsworth, John (1993), "Pax (Norte) Americana: Latin America after the Cold War", en Meredith Woo-Cumings y Michael Loriaux, eds., *Past as Prelude*, Boulder: Westview Press.

Commission on Global Governance (1995), *Our global neighborhood*, Oxford: Oxford Univ. Press.

Connell-Smith, Gordon (1966), *The inter-american system*, London: Oxford University Press.

Dewit, David; David Haglung y John Kirton (1993), *Building a new global order*, Toronto: Oxford Univ. Press.

Dorsey, Ellen (1993), "Expanding the foreign policy discourse: transnational social movements and the globalization", en David Skidmore y Valerie Hudson, *The limits of state autonomy*, Boulder: Westview Press.

ECLAC (1993), *Statistical Yearbook for Latin America and The Caribbean*. ECLAC

Erzan, Refik y Alexander Yeats (1992), "US-Latin American Free Trade Area: some empirical evidence", en Sylvia Saborio, ed., *The premise and the promise: free trade in the Americas*, ODC Washington: Transaction Publishers.

Falk, Richard, Samuel Kim y Saul Mendlovitz (1991), *The United Nations and a just world order*, Boulder: Westview Press.

Ferrero Costa, Eduardo (1993) "Las relaciones internacionales del Perú", *Análisis Internacional*, N. 3, Julio-Septiembre.

Frohmann, Alicia (1994), "Regional initiatives for peace and democracy: The collective diplomacy of the Río Group", en Carl Kaysen, Robert Pastor y Laura Reed, eds., *Collective responses to regional problems: The case of Latin American and the Caribbean*, Cambridge: American Academy of Arts and Sciences.

Gellman, Irwin (1979), *Good neighbor diplomacy*, Baltimore: John Hopkins Univ. Press.

Gorman, Paul (1989), "Defining a long-term US strategy for the Caribbean Region", en Georges Fauriol, ed., *Security in the Americas*, Washington DC: National Defense University Press.

Green, David (1971), *The containment of Latin America*, Chicago: Quadrangle.

Grieco, Joseph (1990), *Cooperation among nations. Europe, America and non-tariff barriers to trade*, New York: Cornell Univ. Press.

——————— (1987), *State anarchy and cooperation. A realist critique of neoliberal theory*, Durham: Duke University.

Guengant, Jean-Pierre (1993), "Whither the Caribbean exodus? Prospects for the 1990s", *International Journal*, Vol. XLVIII, N. 2, Spring .

Haas, Ernst (1975), *The obsolescence of regional integration's*, Berkeley: Univ. of California.

Haas, Ernst y Philippe Schmitter (1964), "Economic and differential patterns of political integration", *International Organization*, Vol. 18, N. 4.

Hazleton, William A. (1981), "Will there always be a Uruguay? Interdependence and independence in the inter-american system", en Elizabeth Ferris y Jennie Lincoln, eds., *Latin American Foreign Policies*, Boulder: Westview Press.

Herzog, Jesús (1993) "México hoy en el nuevo entorno internacional", *Revista Mexicana de Política Exterior*, N. 38, Primavera.

Hirst, Monica, org., (1987), *Continuidad y cambio en las relaciones América Latina-los Estados Unidos*, Buenos Aires: Grupo Editor Latinoamericano.

Holm, Hans Henrik y Georg Sorensen, eds., (1995) *Whose world order*, Boulder: Westview Press.

Holoboff, Elaine (1994), "Russian views on military intervention: benevolent peace-keeping, Monroe Doctrine or neo-imperalism", *The Political Quarterly*, Cambridge.

Hurriel, Andrew (1994), "Regionalism in the Americas", en Abraham Lowenthal y Gregory Treverton, eds., *Latin America in a new world*, Boulder: Westview Press.

——————— (1992), "Brazil as a regional great power: a study in ambivalence", en Iver B. Neuman, ed., *Regional great powers in international politics*, London: St. Martin's Press.

Karl, Terry Lynn (1992), "El Salvador negotiated process", *Foreign Affairs*, Vol. 71, N. 2, Spring .

Karns, Margaret y Karen Mingst (1992), *The United States and multilateral institutions*, London: Mershon Center.

Keohane, Robert (1995), "Hobbes' Dilemma and institutional change in world politics: sovereignty in international society", en Hans Henrik Holm y Georg Sorensen, *Whose world order*, Boulder: Westview Press.

——————— (1992), "The diplomacy of structural change: multilateral institutions and state strategies", en Helga Haftendorn y Christian Tuschhoff, eds., *America and Europe in an era of change*, Boulder: Westview Press.

Lake, Anthony *et. al.* (1990), *After the wars*, ODC, Transaction Publishers.

Lowenthal, Abraham (1992/1993), "Latin America: ready for partnership?", *Foreign Affairs*, Vol. 72, N. 1.

———————— (1987), *Partners in conflict*, Maryland: The Johns Hopkins Univ. Press.

Lipsey, Richard (1992) "Getting here: The path to a Western Hemisphere Trade Area", en Sylvia Saborio, ed., *The premise and the promise: free trade in the Americas*, ODC Washington: Transaction Publishers.

Maira, Luis (1985), "El Grupo de Contadora y la Paz en Centroamérica", en Heraldo Muñoz, ed., *Las políticas exteriores latinoamericanas frente a la crisis*, Buenos Aires: Grupo Editor Latinoamericano.

Mearsheimer, John (1994/1995) "The false promise of international institutions", *International Security*, Winter, Vol. 19, N.3.

Middlebrook, Kevin y Carlos Rico (1986), "The United States and Latin America in the 1980s: Change, Complexity, and Contending Perspectives", en K. Middlebrook y C. Rico, *The United States and Latin America in the 1980s*, University of Pittsburgh Press.

Mistry, Percy (1995), "Open regionalism: stepping stone or millstone toward an improved multilateral system?", en Jan Joost Teunissen, ed., *Regionalism and the global economy: The case of Latin America and the Caribbean*, The Hague: FONDAD.

Nye, Joseph (1968), "Patterns and catalysts in regional integration", en J. Nye, ed., *International Regionalism*, Boston.

OEA (1995), *A new vision of the OAS*, Washington, OEA, abril.

———————— (1993) Consejo Permanente de la Organización de Estados Americanos, Comisión Especial sobre Seguridad Hemisférica, "Aportes a un nuevo concepto de seguridad cooperativa", Washington, OEA, mayo.

———————— (1991) Resolución 1080, "The Santiago Commitment to Democracy and the Renewal of the inter-American System", 21st General Assembly, Santiago, junio.

Pastor, Robert (1992), "The Latin American option", *Foreign Policy*, N. 88, Fall.

——————— (1992), *Whirlpool-US Foreign Policy toward Latin America and the Caribbean*, Princeton: Princeton Univ. Press.

Portales, Carlos (1992), "La política exterior chilena en el nuevo contexto político y económico internacional", *CONO SUR*, Vol. 11, N. 1, Enero- Febrero.

Prebisch, Raúl (1964), "Towards a dynamic development policy for Latin America", New York: UN.

——————— (1950), "The economic development of Latin America and its principal problems", New York: UN-ECLA

Rangel, Carlos (1976), *The Latin Americans: their love/hate relationship with the Unites States*, New York.

Rico, Carlos (1990), "The Contadora experience and the future of collective security", en Richard J. Bloomfield y Gregory Treverton, eds., *Alternative to intervention: A New US-Latin American security relationship*, Boulder: Lynne Rienner.

Rodrigues, Octavio (1980), *La teoría del subdesarollo de la CEPAL*, México: Siglo XXI.

Rubinstein, Alvin (1994), "The geopolitical pull on Russia" *Orbis*, Vol. 38, N. 4.

Ruggie, John Gerard, ed., (1993), *Multilateralism matters*, New York: Columbia University Press.

Russell, Roberto (1994), "Los ejes estructurantes de la política exterior argentina", *América Latina/Internacional*, otoño/invierno, Vol.1, N. 2.

Saborio, Sylvia (1992), "A long and winding road from Anchorage to Patagonia", en Sylvia Saborio, ed., *The premise and the promise: free trade in the Americas*, ODC Washington: Transaction Publishers.

Schoultz, Lars (1989), *National security and United States Policy toward Latin America*, Princeton: Princeton Univ. Press.

Serbin, Andrés (1993), "La política exterior de Venezuela y sus opciones en el marco de los cambios globales y regionales", *Estudios Internacionales*, N. 104, Octubre-Diciembre.

Simmons, Alan B. (1993), "Latin American migration to Canada: new linkages in the hemispheric migration and refugee flow system", *International Journal* Vol. XLVIII, N. 2, Spring .

Soares de Lima, Maria Regina (1994), "Ejes analíticos y conflicto de paradigmas en la política exterior brasileña", *América Latina/Internacional*, otoño/invierno, Vol.1, N. 2.

Solís, Luis (1994), "Collective mediations in the Caribbean Basin", en Carl Kaysen, Robert Pastor y Laura Reed, eds., *Collective responses to regional problems: the case of Latin American and the Caribbean*, Cambridge: American Academy of Arts and Sciences.

Sunkel, Osvaldo (1995), "Uneven globalization, economic reform and democracy: A view from Latin America", en Hans Henrik Holm y Georg Sorensen, *Whose World Order*, Boulder: Westview Press.

Vaky, Viron (1993), "The organization of the American States and multilateralism in the Americas", en Viron Vaky y Heraldo Munoz, eds., *The future of the organization of American States*, New York: Twentieth Century Fund.

van Klaveren, Alberto (1986), "The United States and the Inter-American Political System", en Robert Wesson y Heraldo Munoz, eds., *Latin American Views of US Policy*, New York: Praeger.

Taylor, Paul (1975), "Politics of the European Communities", *World Politics*, April.

Tocqueville, A. (1961), *La democracia en América*, Madrid: Ed. Alianza.

Tönnies, Ferdinand (1947), *Comunidad y sociedad*, Buenos Aires: Losada.

Wionczek, Miguel (1981), *Intentos de integración en el marco de la crisis latinoamericana*, México: El Colegio de México.

——————— (1970), *Surgimiento y decadencia de la integración económica latinoamericana*, México: El Colegio de México.

——————— (1964), *Integración de América Latina, experiencias y perspectivas*, México: Fondo de Cultura Económica.

Yopo, Boris (1991), "The Río Group: decline or consolidation of the Latin American Concertation Policy?", *Journal of Inter-American Affairs and World Affairs*, Vol. 33, N. 4, Winter.

CAPÍTULO II

COERCIÓN, DEMOCRACIA Y LIBRE MERCADO EN AMÉRICA LATINA*

1. INTRODUCCIÓN

El uso de la coerción en las Américas ha estado asociado con episodios de discordia y de percepciones diferenciadas causadas en el contexto de la estructura asimétrica de poder de las relaciones entre los Estados Unidos y América Latina.[1] De hecho, la diplomacia coercitiva ha sido un instrumento recurrente en esta relación desde

---

* La primera versión de este artículo fue preparada para el seminario sobre Diplomacia Coercitiva realizado en junio de 1995, por el King's College en Londres. Agradezco a Marcos Mendiburu y a Elsa Llenderrozas por su asistencia en la investigación sobre la crisis haitiana y las relaciones Cuba-Estados Unidos, respectivamente.

[1] Según Alexander George, "el propósito general de la diplomacia coercitiva es respaldar una demanda sobre un adversario con una amenaza de castigo por el no acatamiento que sea lo bastante creíble y potente para persuadirlo de que es de su interés cumplir con la demanda", Alexander George y William Simons (1994), p.2. Como lo indica George, la diplomacia coercitiva es "una estrategia defensiva y se distingue de otras estrategias no militares por prevenir a los oponentes de alterar las situaciones de *statu quo* a su favor (...) es esencialmente una estrategia diplomática, que confía en la amenaza de la fuerza más que en el uso de la fuerza para lograr los objetivos. Si debe usarse la fuerza para fortalecer los esfuerzos diplomáticos de persuasión, (...) para demostrar la resolución y la voluntad de escalar a altos niveles de acción militar si es necesario", *Ibíd.*, p.2.

Según Lawrence Freedman, el concepto de coerción estratégica se define como "el uso deliberado e intencionado de amenazas abiertas para influir la opción estratégica del otro". Ver Lawrence Freedman (1995).

el momento en que los Estados Unidos asumieron la condición de potencia dominante en la región. Aunque los Estados latinoamericanos no han sido las únicas víctimas de los métodos coercitivos norteamericanos, sin duda ellos han sido los más afectados.[2]

Desde el fin de la Segunda Guerra Mundial, diversos motivos políticos y económicos dieron lugar a que los Estados Unidos utilicen diferentes formas de presión con el fin de inducir a los Estados latinoamericanos a ajustar o cambiar sus opciones de políticas internas y/o externas. En el pasado, esos motivos estaban vinculados a las políticas de contención o a incompatibilidades políticas y económicas unilaterales. En todos los casos, estas prácticas han acentuado la estructura asimétrica de poder de las relaciones interamericanas, así como la caracterización de América Latina como una esfera de influencia de los Estados Unidos.

El uso de sanciones unilaterales ha sido una amenaza recurrente en las relaciones de Estados Unidos con América Latina cuando están en juego intereses económicos. Naturalmente, la importancia del mercado norteamericano para las exportaciones de la región siempre ha sido un argumento de peso para legitimar esa diplomacia frente a los grupos de interés norteamericanos y latinoamericanos. A través de amenazas y ultimátums, la diplomacia económica de los Estados Unidos intenta obtener concesiones en las prácticas y las políticas internas de los Estados latinoamericanos. Este comportamiento se ha acentuado a partir de los años ochenta, cuando la represalia económica se convirtió en una respuesta común a las políticas económicas consideradas "desleales" a los intereses de los Estados Unidos.[3]

Es importante señalar que América Latina no ha sido el único "blanco" del unilateralismo agresivo de los Estados Unidos. Éste se ha convertido en la principal herramienta de la política comercial norteamericana desde 1985, cuando Estados Unidos emprendió

---

[2] En un estudio extensivo sobre el uso de sanciones, de acuerdo con Kimberly Elliots los Estados Unidos han tomado la delantera. 77 de 116 episodios de aplicación de sanciones ocurridos entre 1914 y 1990 se dieron por iniciativa de los Estados Unidos. En 58 de ellos los blancos de la utilización de este tipo de presión fueron países del Tercer Mundo. Ver Kimberly Elliots (1992), p. 97.

[3] Ver John Odell y Thomas Willet, eds., (1990).

una agresiva política de promoción de exportaciones que expandió el uso de las amenazas con el fin de presionar a los países a abrir sus mercados.[4]

Cuando se trata de un objetivo político, el procedimiento utilizado ha sido la aplicación de distintos tipos de sanciones económicas y el aislamiento diplomático. Algunos ejemplos recientes en este sentido han sido las intervenciones militares en Granada, Nicaragua, Panamá y Haití; precedidos en todos los casos por estrategias coercitivas.[5] De hecho, los condicionantes estructurales de las relaciones entre los Estados Unidos y América Latina han llevado a que ese país se convirtiera en el emisor principal –o emisor dominante– en el uso de la coerción en la región.[6] Más aún, la cooperación interamericana en la aplicación de sanciones ha sido esencialmente consecuencia de un seguidismo "(...) en el cual los Estados son obligados a imitar las decisiones de otros, y existen fuertes incentivos para evitar el aislamiento o la acción unilateral".[7]

Pese al mayor poder de los Estados Unidos para recurrir a la coerción en caso de desacuerdos y/o expectativas no correspondidas, los resultados obtenidos no han sido siempre los mismos. La eficacia de los métodos coercitivos en América Latina ha variado según la política interna norteamericana y su impacto en los países destinatarios. Sólo es posible entender los diferentes efectos de la diplomacia coercitiva en América Latina si se considera el tipo de articulación producido entre la política interna y las presiones externas.

El hecho de que la política de poder tiene una influencia enorme sobre la conducta de los Estados no disminuye la importancia de los factores internos. Vale aquí emplear el enfoque del "juego

---

[4] El concepto de "unilateralismo agresivo" se refiere a "(...) toda negociación comercial bilateral en la que demandas unilaterales de liberalización son respaldadas por amenazas de represalia". Ver Thomas Bayard y Kimberly Elliott (1994), p. 19.

[5] Para un resumen completo de las sanciones económicas contra países latinoamericanos en el período 1914-90, ver Gary Hufbauer, Jeffrey Schott y Kimberly Elliot (1990).

[6] Mientras que Hufbauer, Schott y Elliot adoptan el concepto de emisor cuando se dirigen a países que imponen sanciones económicas, Martin ha sugerido el concepto de emisor principal y emisor dominante para identificar a un país que asume "el rol emprendedor o de liderazgo entre los emisores". Ver Gary Hufbauer, Jeffrey Schott y Kimberly Elliott (1990). Ver también Lisa Martin (1992).

[7] Lisa Martin (1992), pp. 42-43.

de dos niveles" en el que interactúan la política doméstica y la internacional para determinar por qué ciertas estrategias de amenazas resultan eficaces o no.[8] Como han afirmado Evans, Jacobson y Putnam, "la diplomacia es un proceso de interacción estratégica, en el cual los actores tratan simultáneamente de tener en cuenta (y si es posible, de influir sobre) las reacciones esperadas de otros actores, tanto internos como internacionales".[9]

Ni el fin de la Guerra Fría ni la globalización económica han reducido las asimetrías que favorecen el uso de la diplomacia coercitiva en el ámbito interamericano. Sin embargo, la renovada importancia de los foros multilaterales ha introducido nuevos elementos en las relaciones interestatales en la región, permitiendo que en algunos casos las posiciones unilaterales norteamericanas se transformen en cuestiones de acción colectiva. La intervención de los Estados Unidos y de Naciones Unidas en Haití ha sido un ejemplo en este sentido. No obstante, la evolución de la crisis haitiana también evidenció las limitaciones de la cooperación coercitiva entre los estados latinoamericanos.

En este capítulo se examinarán tres casos en los que Estados Unidos ha recurrido a la diplomacia coercitiva en América Latina en la posguerra fría. En todos ellos ha sido crucial la interacción creada entre dinámicas domésticas e internacionales para entender los resultados obtenidos. Los tres casos seleccionados son: el proceso que condujo a la intervención de los Estados Unidos y las Naciones Unidas (ONU) en Haití, las relaciones de los Estados Unidos y Cuba después de las nuevas sanciones económicas impuestas por la Ley Torricelli y de las negociaciones iniciadas sobre los refugiados ilegales, y la controversia entre los Estados Unidos y Brasil sobre la ley de propiedad intelectual.

2. LA CRISIS EN HAITÍ

La acción diplomática y militar en Haití asumió un significado paradigmático en los niveles regional y global. Por un lado, la

---

[8] Ver Peter Evans, Harold Jacobson y Robert Putnam (1993).
[9] *Ibíd*, p.15.

operación pro-democrática en Haití, caracterizada como una acción de *peace-enforcement*, ha legitimado una intervención militar colectiva sin precedentes.[10] Por otro lado, la intervención en Haití profundizó las controversias entre los Estados latinoamericanos respecto de las implicancias del intervencionismo en la posguerra fría.

En el caso de Haití, la diplomacia coercitiva fue empleada hasta último momento como un método para persuadir a las autoridades de facto a abandonar el poder y permitir la restauración del primer gobierno elegido democráticamente en ese país. El uso de la fuerza sólo se convirtió en una amenaza concreta cuando todos los intentos diplomáticos previos resultaron ineficaces y se agotaron los tiempos para una salida negociada.

La acción unilateral y multilateral en Haití fue consecuencia de nuevos desarrollos en el ámbito interamericano, en particular los esfuerzos de la OEA para ampliar su campo de acción en defensa de la democracia y de los derechos humanos.[11] Pese a la falta de consenso, la idea de crear un régimen de defensa de la democracia amplió la bases para el uso de la presión política y económica con el fin de expandir la democracia en América Latina.

A partir de 1991, el Consejo de Seguridad (CS) y la Asamblea General (AG) de la ONU iniciaron una campaña para restaurar el gobierno legítimo en Haití. De este modo, el CS de la ONU incluyó a Haití en la agenda de seguridad colectiva y en la lista de países pasibles del uso de la fuerza militar. Además, desde 1992, el gobierno de Clinton comenzó a señalar a Haití (y a Cuba) como ejemplo(s) de país(es) donde debería emplearse la diplomacia coercitiva para expandir la democracia en el hemisferio.

---

[10] Ver Boutros Boutros-Ghali (1995).

[11] Los Ministros de Relaciones Exteriores de los países miembros de la OEA aprobaron el Compromiso de Santiago y la Resolución 1080 en junio de 1991. Mediante la Resolución 1080 se acordó que "ante una interrupción del proceso democrático institucional, se convoque a una reunión de emergencia de los Ministros de Relaciones Exteriores dentro de los diez días (de ocurrido el hecho) para decidir cuál sería la actitud colectiva". Ver OAS/AG/Resolution 1080, 5 de junio de 1991.

Durante tres años la ONU, la OEA y los Estados Unidos consideraron a Haití como un claro ejemplo de gobierno no democrático y de violación de los derechos humanos, que justificaba el empleo de medidas coercitivas para forzar al general Cedrás y a sus colaboradores a abandonar el poder. Entre tanto, el éxodo de refugiados haitianos se transformaba en una gran tragedia nacional, agravada por las sanciones impuestas para facilitar el restablecimiento de la democracia en el país caribeño. Esto provocó grandes controversias –especialmente en los Estados Unidos– sobre costos y beneficios de las sanciones impulsadas contra Haití, dado que dichas sanciones generaban una mayor violencia y represión por parte del gobierno de facto.

De hecho, Haití pasó a formar parte de la lista de casos problemáticos que cuestionaba la praxis diplomática de Washington en la posguerra fría.[12] Al tiempo que se acentuaba el descontento social y económico, el idealismo del gobierno de Clinton era criticado de irracional e ineficaz.[13]

Finalmente, luego de haber utilizado estrategias coercitivas por tres años, la democracia logró ser restaurada en Haití. Sin embargo, ex-post facto, se plantean varios interrogantes en torno de la eficacia de las medidas empleadas, particularmente durante la etapa en la cual estuvieron a cargo de instituciones multilaterales. Una revisión de los principales acontecimientos en Haití podrá ayudar a identificar los pros y contras de las prácticas coercitivas para forzar cambios de política interna en los Estados.

El pasado reciente

Si bien Haití ha sido gobernado por regímenes autoritarios durante casi todo el siglo veinte, los Estados Unidos, la OEA y la ONU sólo recientemente se han preocupado por sus condiciones políticas internas. La primera vez que se aplicaron sanciones norteamericanas contra el régimen de Jean Claude Duvalier por la violación

---

[12] Para un estudio de la política norteamericana hacia Haití, ver George Fauriol (1995).
[13] Ver David Hendrickson (1994).

a los derechos humanos fue en 1986.[14] Desde entonces, la asistencia económica a este país ha sido otorgada y suspendida conforme la situación política en la isla. Cabe señalar que la imposición de sanciones coincidió con una política inmigratoria de Estados Unidos más estricta hacia los refugiados haitianos. De hecho, hacia fines de los años '80 aumentaron las preocupaciones en Estados Unidos por la posibilidad de que se desencadenara un éxodo masivo desde Haití a territorio norteamericano. Asimismo, se acentuaron los resquemores norteamericanos sobre los vínculos entre los militares haitianos y el narcotráfico.

La escalada de violencia provocada por el enfrentamiento entre diversas fuerzas políticas, como resultado de sucesivos gobiernos dictatoriales, alcanzó un nivel sin precedentes en Haití. Pero gradualmente comenzó a emerger un nuevo escenario. Los efectos de la suspensión de la ayuda norteamericana desde 1987 hasta mediados de 1990 (a la que sólo en enero de 1990 se sumó Francia), junto con la organización incipiente de una oposición interpartidaria pro-democrática, favorecieron la celebración de elecciones libres en noviembre de 1990. En este contexto, Jean Bertrand Aristide, elegido con el 67% de los votos, se convirtió en el primer presidente electo democráticamente de Haití.

Luego de asumir el gobierno, el presidente Aristide enfrentó numerosas dificultades para llevar adelante las reformas prometidas durante la campaña presidencial. En tanto que los militares se resistían a la creación de una fuerza policial independiente y a un control más vigoroso sobre las violaciones a los derechos humanos; los sectores empresarios se oponían a la propuesta de Aristide de un aumento del salario mínimo. Por otra parte, las quejas del nuevo gobierno haitiano por el trato norteamericano a los refugiados haitianos y por la política migratoria de la República Dominicana redujeron sus bases de apoyo externo. Más aún, la adhesión

---

[14] En enero de 1986, Estados Unidos suspendió u$s 25 millones de ayuda a Haití por su crítica situación respecto de los derechos humanos. Esto no afectó los fondos de los programas humanitarios que entonces representaban u$s 27 millones.

de Aristide a la teología de la liberación generó una preocupación compartida por los militares, la jerarquía católica conservadora e incluso el Vaticano, y contribuyó para debilitar al gobierno de Aristide.

Tras siete meses de gobierno democrático, el presidente Aristide fue derrocado en septiembre de 1991 por un golpe militar encabezado por el general Raoul Cedrás. Pese a que la democracia era un objetivo compartido por la coalición de países vencedores de la Guerra Fría, se necesitaron tres años para restaurarla en Haití. En ese lapso, una nueva ola de violencia sacudió al país y la empobrecida economía haitiana enfrentó continuas limitaciones. Por primera vez, a comienzos de los años noventa, la situación haitiana atrajo la atención de los gobiernos y de las organizaciones internacionales, particularmente en el ámbito interamericano.

Se pueden distinguir tres fases diferentes en el uso de la diplomacia coercitiva contra el gobierno de facto de Haití.

PRIMERA FASE

Esta fase se inicia con el derrocamiento del presidente Aristide y se caracteriza por el liderazgo de la OEA en el uso de prácticas coercitivas contra el gobierno ilegal de Haití.[15] Gracias a la expansión de los mecanismos coercitivos para la defensa de la democracia, la OEA se movilizó inmediatamente para actuar contra el régimen de Cedrás. Además, Aristide contaba con el apoyo de una iniciativa diplomática interestatal denominada "Los Amigos de Haití" (Canadá, Francia, Estados Unidos y Venezuela) que desde 1989 ejercía presión en favor de la democratización haitiana.

Tras la adopción de una resolución que condenaba el golpe y que demandaba el pronto restablecimiento del gobierno democrático, se llevó a cabo una Reunión ad-hoc de Ministros de Relaciones Exteriores de la OEA que reforzaba la posición inicial median-

---

[15] El golpe de Estado se produjo el 30 de septiembre de 1991, y fue encabezado por el comandante en jefe Raoul Cedrás, junto con el jefe de policía Michel François y el general Phillipe Biamby. Fue una acción rápida y muy violenta que provocó la muerte de 500 personas.

te la recomendación del empleo de sanciones económicas y diplomáticas contra Haití y la organización de una misión especial para visitar la isla.[16] La indiferencia de Raoul Cedrás y sus colaboradores condujo a nuevas medidas por parte de la OEA.[17]

Pocos días después, la OEA aprobó una nueva resolución solicitando a los Estados miembros congelar las cuentas del Estado haitiano y suspender el intercambio comercial y financiero así como también la ayuda técnica, salvo la ayuda humanitaria. La resolución de la OEA también reclamaba la adhesión de los países miembros de la ONU a las sanciones, al tiempo que autorizaba la constitución de una misión civil, conocida como OEA/DEMOC, para supervisar la restauración democrática en Haití.[18] Delegaciones de la OEA visitaron la isla, primero para explicar la posición de la organización regional y, luego, para iniciar negociaciones destinadas a facilitar el regreso del presidente depuesto.[19] La Comisión Interamericana de Derechos Humanos, por pedido de Aristide, envió un grupo de observadores al país para monitorear e informar sobre las violaciones de los derechos humanos.

Entre tanto, las relaciones del presidente Aristide con el gobierno norteamericano eran ambiguas y existían crecientes diferencias sobre la mejor solución política para la crisis haitiana. En tanto que Aristide mantenía una posición inflexible *vis-à-vis* el gobierno de facto, la administración Bush impulsaba una fórmula de reconciliación nacional. Las preocupaciones del Departamento de Estado norteamericano sobre las violaciones a los derechos humanos durante el breve gobierno de Aristide habían alimentado recelos entre ambas partes. En ese momento, los Estados Unidos suspendieron un programa de ayuda de 85 millones de dólares a Haití, definitivamente cancelado luego del golpe de Estado de Cedrás.

[16] Ver Documento de la OEA, CP/RES (30 de septiembre de 1991) y la resolución MRE/RES 1/91, 3 de octubre de 1991.
[17] Cedrás nombró en esta misma época a Joseph Nerette como presidente provisional y a Jean-Jacques Honorat como primer ministro de Haití.
[18] Ver Documento de la OEA, MRE/RES 2/91, 8 de octubre de 1991.
[19] Entre noviembre de 1991 y febrero de 1992 se celebraron diversas reuniones entre la Comisión Presidencial designada por Aristide y una delegación del Parlamento haitiano en Caracas, Cartagena, Port-au-Prince y Washington, bajo los auspicios del mediador de la OEA.

En consecuencia, la actuación de la OEA en los asuntos haitianos fue bien recibida por la administración Bush, dado que permitió a Washington no involucrarse directamente en la crisis. Fue en este contexto que la OEA incrementó las políticas coercitivas contra el régimen de Cedrás mediante la aprobación de una resolución que solicitaba a los Estados-miembros denegar facilidades portuarias a las embarcaciones que violaban el embargo, así como visas a los defensores del régimen militar y congelar sus cuentas en el exterior.[20]

Pese a que Aristide se dirigió personalmente al Consejo de Seguridad de la ONU para solicitar apoyo, durante esta fase este Consejo cumplió un rol secundario en la crisis haitiana. Su mayor preocupación se centró en reforzar el mandato de la OEA para llevar adelante el proceso de redemocratización en Haití, dejando que la Asamblea General asumiera un rol más activo frente a la crisis haitiana.

Hacia fines de 1992, ninguna de las sanciones de la OEA había resultado eficaz, porque productos procedentes de América Latina, Europa y países africanos ingresaban a Haití sin grandes dificultades. Además, las comunicaciones terrestres con la República Dominicana habían mejorado luego del golpe de Cedrás, con la pavimentación de la ruta entre ambos países. Por otra parte, se profundizó la violencia policial y los abusos contra los derechos humanos sin que las misiones de la OEA pudieran revertir la situación.[21]

Frente a este cuadro, una coalición integrada por simpatizantes de Aristide, funcionarios, legisladores y organizaciones no gubernamentales norteamericanos y el secretario general de la ONU, Boutros Boutros-Ghali, logró transformar a Haití en una cuestión de la agenda de seguridad global. A partir de su inclusión como tema de la agenda del CS de la ONU, la democracia y los derechos humanos en Haití dejaron de ser una preocupación meramente regional y pasaron a ser una preocupación global.

---

[20] Ver Documento de la OEA, MRE/RES 3/92, 17 de mayo de 1992.

[21] Entre octubre de 1991 y noviembre de 1992 fueron arrestadas 5100 personas, 2200 personas sufrieron heridas o abusos, otras 250 soportaron invasión domiciliaria y 3000 fueron asesinadas. Ver Ricardo Seitenfus (1994), p. 49. El autor permaneció en Haití por varios meses como observador de la OEA.

SEGUNDA FASE

Esta fase se inicia en diciembre de 1992 con la designación del ex-ministro de relaciones exteriores argentino Dante Caputo como representante especial del secretario general de la ONU, Boutros-Ghali, en Haití. Caputo también fue designado representante especial en Haití por el Secretario General de la OEA. Si bien este doble nombramiento puede ser interpretado como una consecuencia del renovado y creciente multilateralismo en el sistema internacional, también puede ser entendido como una limitación de las funciones de la OEA en la crisis haitiana. De hecho, la posición de Caputo al comenzar a defender la intervención militar como una decisión legítima para resolver la crisis fue alineándose cada vez más con la de la ONU. Los países miembros de la OEA, en cambio, fueron renuentes a aceptar el tránsito de la diplomacia coercitiva a la amenaza de una intervención militar y nunca se logró un consenso al respecto en las Américas.

La segunda fase comienza luego de la elección del presidente Bill Clinton. Aumentaron las perspectivas de que los Estados Unidos se involucraran en defensa de la democracia en el hemisferio. De acuerdo con las nuevas premisas de la política exterior norteamericana, el traspaso del caso haitiano de la OEA al CS de la ONU facilitaría el uso de una solución más drástica para restablecer el gobierno de Aristide.

Caputo debía cumplir dos objetivos: controlar las condiciones de los derechos humanos en el país e iniciar un proceso de diálogo interpartidario. Para esto se constituyó una Misión Civil Internacional (MICIVIH). Las principales dificultades para solucionar la crisis haitiana se centraban en las negociaciones en torno de las condiciones para el regreso de Aristide a Haití, el nombramiento de un Primer Ministro para encabezar un gobierno de reconciliación nacional y los contenidos de una ley de amnistía.

En el frente externo, debían acordarse los siguientes objetivos: la asistencia técnica y económica y la duración de la presencia internacional tras la restauración de la democracia. Una vez que se lograra una solución política interna en Haití la ayuda externa sería decisiva. Dado que las autoridades de facto se negaban a participar en estas negociaciones, el CS de la ONU decidió, según el Capítulo VII de la Carta de la ONU, adoptar nuevas medidas coercitivas. Conforme con la Resolución 841 del CS de la ONU, las sanciones adquirieron un carácter universal y obligatorio y se impuso un embargo petrolero y de armas contra Haití.[22]

Por primera vez la coerción dio resultados. El general Cedrás aceptó negociar con Aristide, firmándose el Acuerdo de la Isla del Gobernador (3 de julio de 1993) que selló el compromiso de ambas partes con la restauración del gobierno constitucional dentro de los siguientes cuatro meses. Las reglas y los compromisos para la transición política fueron establecidos mediante negociaciones interpartidarias complementarias.[23] El CS de la ONU aceptó suspender las sanciones para facilitar el proceso de transición, dejando en claro que éstas serían restablecidas en caso de no cumplirse con el Acuerdo de la Isla del Gobernador. Asimismo, se acordó la permanencia de una Misión de la ONU (UNMIH) por seis meses en Haití para colaborar en la modernización de las fuerzas armadas haitianas y la creación de una nueva fuerza policial.[24]

Es interesante señalar que Aristide no tenía capacidad suficiente para determinar cómo y en qué dirección se implementarían las medidas coercitivas. Algunas fuentes señalan que durante las negociación de este acuerdo, las autoridades de la OEA y la ONU amenazaron con suspender el embargo si Aristide no aceptaba todas las disposiciones, incluyendo las referidas a la amnistía de los colaboradores de Cedrás.[25]

---

[22] Ver Documento del CS de la ONU, S/RES/841 (16 de junio de 1993). En ese momento, Brasil y Venezuela, como miembros no permanentes del CS de la ONU, se opusieron a la inclusión de una disposición que preveía el bloqueo naval a Haití.

[23] Los compromisos incluían el nombramiento de un Primer Ministro por parte de Aristide y una decisión de la Comisión de Conciliación sobre el mandato de los legisladores elegidos en enero de 1993 en condiciones no democráticas.

[24] La Misión de las Naciones Unidas en Haití comprendía a 567 observadores policiales y una unidad militar de 700 soldados. En tanto que Estados Unidos, Canadá y la Argentina ofrecieron enviar soldados; Argelia, Austria, Canadá, Francia, España, Indonesia, Madagascar, Rusia, Senegal, Suiza, Túnez y Venezuela se comprometieron a enviar oficiales de policía.

[25] Ricardo Seitenfus (1994), p. 74.

Pero al poco tiempo las autoridades de *facto* haitianas dejaron en claro su falta de voluntad para cumplir con el Acuerdo de la Isla del Gobernador. Una nueva escalada de violencia y la adopción de una posición más agresiva de los militares haitianos *vis-à-vis* la misión de la ONU, fueron acompañadas por manifestaciones nacionalistas con un fuerte componente antinorteamericano. El pico de mayor tensión de este retroceso se produjo cuando miembros de fuerzas paramilitares del *Front pour l'Avancement et le Progres Haitien* (FRAPH) impidieron el desembarco de un contingente militar de la UNMIH en Puerto Príncipe.

En estas circunstancias y por recomendación de los Estados Unidos, el CS de la ONU aprobó en octubre de 1993 la resolución 873 que reimpuso las sanciones contra Haití. La frustración generada por el incumplimiento del Acuerdo de la Isla del Gobernador provocó nuevos desacuerdos entre Aristide, la ONU y los Estados Unidos sobre la fórmula más apropiada para tratar con las autoridades de *facto* haitianas. Aristide tardó dos semanas en aceptar públicamente la reimposición de las sanciones a Haití, ya que esta decisión implicaba reconocer la cancelación de su regreso. Esto también demostraba que la diplomacia coercitiva no había servido para alcanzar una solución satisfactoria y definitiva para la crisis de Haití. El blanco pareció permanecer inmune, y una nueva ola de terror asoló el territorio haitiano. Más aún, durante los cuatro meses que duró la suspensión del embargo, los gobernantes de *facto* lograron reabastecerse de petróleo y de suministros para enfrentar futuros embargos.

Haití se había convertido en un *country-issue* (junto con Somalia, China, Corea del Norte y Bosnia) para los Estados Unidos, contribuyendo a la imagen vacilante de la política exterior de Clinton. El gobierno norteamericano había dejado en claro desde el comienzo su objetivo de promover la democratización de Haití y Cuba mediante un refuerzo del embargo económico contra ambos países. El gobierno norteamericano consideraba que las sanciones serían efectivas para restablecer el gobierno de Aristide, evitando medidas más drásticas. La reticencia de los Estados Unidos a intervenir militarmente obedecía a un proceso interméstico influido por la interacción de presiones internas (ONGs, las organizaciones de exiliados cubanos y haitianos, el Congreso, el sector empresario, etc.) respecto de los refugiados haitianos y los abusos contra los derechos humanos practicados en la isla. De hecho, transcurrieron casi dos años hasta que la administración de Clinton definió sus objetivos de política exterior en relación con Haití.

TERCERA FASE

A partir de octubre de 1993 el restablecimiento de las sanciones contra Haití fue parte de una operación más amplia que llevaría a la intervención militar. La transición del uso de la diplomacia coercitiva al uso de la fuerza fue acompañado por la decisión norteamericana de asumir un liderazgo explícito –el de un emisor principal– en la crisis haitiana. De hecho, durante esta fase, la ONU junto con los Estados Unidos pasaron en muy poco tiempo de una política de presión a una de ultimátumes, en comparación con el tortuoso proceso de avances y retrocesos experimentado desde el golpe de Estado.[26]

Durante esta etapa, aumentó notablemente la participación de diferentes sectores del gobierno norteamericano en la crisis de Haití.[27] Mientras intentaban negociar una solución política entre Cedrás y los colaboradores de Aristide, los Estados Unidos buscaban obtener apoyo de otros miembros del CS de la ONU para una

---

[26] Lawrence Freedman señala que este tipo de gradualismo es algo difícil de afrontar por muchos países que aplican medidas coercitivas. En efecto, este método sólo se volvió efectivo cuando los Estados Unidos asumieron el liderazgo en la crisis haitiana, ver Lawrence Freedman (1995).

[27] La política interburocrática norteamericana con respecto a la crisis haitiana involucró a diversas agencias: el Departamento de Estado, el Departamento de Defensa, el Departamento de Justicia, el Departamento de Comercio, el Departamento del Tesoro, el Consejo de Seguridad Nacional, el Servicio de Inmigración y Naturalización, y la USAID. Los principales funcionarios responsables por la política en Haití fueron: el consejero de Seguridad Nacional, Anthony Lake; el subsecretario de Estado, Strobbe Talbott; el subsecretario de Defensa, Mr. Deutch, los enviados especiales de los Estados Unidos para Haití, Lawrence Pezullo y William Gray, los coordinadores especiales del Departamento de Estado para Haití, emb. James Dobbins y emb. Jack Leonard, y el embajador de los Estados Unidos en Haití, Lacy Swing.

posible intervención militar. El gobierno norteamericano apoyó primero el plan de los parlamentarios haitianos que reclamaba un amplio gobierno de coalición y luego ofreció un acuerdo del Vicepresidente norteamericano, llamado Plan Gore. Ambas iniciativas fueron rechazadas por Aristide.

Entre tanto, la violencia y el abuso contra los derechos humanos alcanzaban niveles inéditos, estimulando nuevos flujos de refugiados. Para entonces, naves norteamericanas y canadienses patrullaban las aguas de Haití, asegurando un efectivo bloqueo naval. El abastecimiento de electricidad, alimentos y transporte para el pueblo haitiano se vio fuertemente afectado después de cuatro meses de embargo comercial y petrolero y las numerosas embarcaciones con refugiados haitianos se volvieron inmanejables para los guardacostas norteamericanos.

En un esfuerzo por mejorar su imagen ante la comunidad internacional, el régimen de Cedrás nombró un presidente provisional, Emile Jonassaint, elegido por el Parlamento, con la promesa de celebrar elecciones dentro de los tres meses siguientes. Este hecho no logró disuadir al CS de la ONU de adoptar medidas más drásticas contra Haití, aprobándose la resolución 940 que autorizaba la organización de una fuerza multinacional para desplazar a Cedrás y sus colaboradores del poder.[28] El uso de la fuerza fue autorizado por el capítulo VII de la Carta de la ONU como una "respuesta excepcional" a una situación única.[29] Nunca quedó claro si Aristide respaldó el uso de la fuerza militar en Haití o si fue forzado a aceptar tal decisión.[30]

Para ese entonces la diplomacia coercitiva había agotado todos los recursos contra Haití. A los pocos días los observadores de derechos humanos de la Misión Civil OEA-ONU fueron declarados personas no gratas y obligados a abandonar el país. Pese a que las sanciones seguían vigentes, el principal objetivo de Estados Unidos y de la ONU se centró en la organización de la intervención mili-

[28] Ver Documento del CS de la ONU, S/RES/940, 31 de julio de 1994.
[29] *Ibíd.*
[30] La resolución 940 decidió que la acción podía efectuarse con el consentimiento del país afectado y no con su solicitud previa.

tar. Los funcionarios de Estados Unidos y de la ONU habían llegado a la conclusión de que la fuerza se había transformado en la única vía para tratar con los gobernantes de *facto* de Haití.

Desde el momento en que se aprobó la resolución 940 hasta el día previo a la intervención militar, los Estados Unidos usaron su poder militar como la principal fuente de presión sobre las autoridades haitianas, sin dar un ultimátum preciso. Si bien no existía certeza sobre la fecha de la intervención militar, el gobierno de Clinton dejó en claro que no modificaría su decisión de usar la fuerza para restaurar el gobierno democrático en Haití.

Cedrás puso en marcha inmediatamente una estrategia de contra-coerción con amenazas de desencadenar una guerra civil en caso de producirse una invasión al país. En respuesta, Washington implementó una estrategia de dos vías, reactivando el uso de la diplomacia coercitiva y manteniendo la amenaza de una intervención militar. El presidente Clinton envió una misión especial encabezada por el ex-presidente Jimmy Carter, acompañado por el general Colin Powell y el senador Sam Nunn, con el fin de lograr una solución pacífica en 24 horas. Las diferencias entre la misión Carter y la Casa Blanca revelaron la falta de coordinación de la política norteamericana para Haití.

Hasta el último momento de esta etapa, la mayoría de los países latinoamericanos no aceptaron la intervención militar a Haití. La OEA había manifestado su deseo de continuar con la diplomacia coercitiva en la XXIV Asamblea General, en tanto que Brasil, miembro no permanente del CS de la ONU, se abstuvo junto con China en la votación de la resolución 940. La Argentina, junto con los países caribeños, fueron los únicos en la región que respaldaron la intervención de los Estados Unidos y la ONU en Haití.

El 19 de septiembre de 1994, tras el Acuerdo de Port-au-Prince celebrado entre la Misión Carter y el régimen de Cedrás, se inició una "invasión consentida" y pacífica de la fuerza multinacional liderada por los Estados Unidos. Bajo el nombre de Operación "Uphold Democracy", la intervención militar de los Estados Unidos y la ONU en Haití debía establecer un ambiente seguro y estable para la implementación de la resolución 940. Diez días después, el CS de la ONU aprobó la resolución 944 que fijaba la fecha para eliminar las sanciones. Luego de alguna resistencia inicial, Aristide anunció públicamente su apoyo a la operación militar y adhirió a los contenidos del Acuerdo de Port-au-Prince. Tras la partida de Cedrás al exilio, Aristide retornó al país en octubre de 1994. A partir de entonces, se tornó crucial para los Estados Unidos abandonar Haití lo antes posible con el fin de evitar incidentes durante el período de intervención que pudieran provocar reacciones negativas dentro de su país y generar sentimientos antinorteamericanos en América Latina.

EVALUACIÓN FINAL

Precedida por más de dos años de sanciones económicas que arruinaron la economía nacional, la operación en Haití introdujo nuevos aspectos al intervencionismo de la posguerra fría. A diferencia de intervenciones previas, la crisis haitiana no estaba vinculada con agresiones externas o con una guerra civil. Por primera vez, se utilizó la fuerza militar exclusivamente para restaurar un régimen democrático.

Es difícil medir la efectividad del uso de estrategias coercitivas contra Haití. Sin lugar a dudas, algunos emisores fueron más efectivos que otros en la aplicación de sanciones. La OEA fracasó, la ONU fue transitoriamente exitosa y Estados Unidos fue "cautelosamente" victorioso.

Un contraste interesante puede efectuarse entre Dante Caputo y Jimmy Carter como mediadores de la diplomacia coercitiva. En tanto el trabajo de Caputo fue afectado negativamente por la resistencia de las autoridades de facto haitianas en cumplir con el Acuerdo de la Isla del Gobernador, el arreglo de Carter con Cedrás no detuvo el ritmo de los acontecimientos pero evitó un final dramático.[31] Este contraste plantea una cuestión crucial: ¿No será Haití simplemente un capítulo más de la larga historia de coerción e intervención militar norteamericana en el Caribe y América Central?

---

[31] Ver Gordon Craig y Alexander George (1993).

Cedrás ha sido un blanco difícil que se negó a inclinar su cabeza ante otros emisores. Las autoridades ilegítimas de Haití sólo se sintieron intimidadas a cumplir con las amenazas de los Estados Unidos y la ONU cuando Washington decidió mostrar sus dientes. En este caso fue decisiva la combinación de la diplomacia coercitiva con el ultimátum. Esta combinación ofreció una vía a Cedrás de evitar una rendición humillante y permitió a los Estados Unidos y la ONU cumplir con las expectativas que se habían generado en la opinión pública internacional.

3. El dilema Estados Unidos-Cuba

El fin de la Guerra Fría ha tenido distintos efectos sobre las relaciones internacionales de Cuba. Mientras que el régimen de Castro se volvió más vulnerable a la presión externa, particularmente a la proveniente de Estados Unidos, su posición en la comunidad internacional ha atravesado por un proceso de "desideologización". Paradójicamente, al mismo tiempo que la democratización de los países latinoamericanos puso en evidencia el carácter antidemocrático de las instituciones políticas cubanas, disminuyó el apoyo de América Latina a su marginación internacional.

La desaparición de la Unión Soviética y de la consiguiente ayuda económica a Cuba incrementó en forma notoria la necesidad de este país de diversificar sus vínculos comerciales y financieros externos. Los antiguos subsidios otorgados por la Unión Soviética y por Europa del Este para el azúcar cubano que permitían la financiación del déficit comercial de Cuba superaban el 20% del PBI del país.[32] Más aún, el precio del azúcar –que representaba más del 70% de las exportaciones cubanas– cayó significativamente en el mercado mundial.

A la luz de las crecientes dificultades económicas experimentadas por Cuba, la imposición de nuevas sanciones aumentó el impacto político del embargo de Estados Unidos sobre el régimen de Castro. Desde la desaparición del apoyo económico soviético a la

[32] Jorge Domínguez (1994).

isla, las importaciones cubanas habían disminuido dramáticamente, llevando a lo que el gobierno cubano denominó un "doble embargo".[33] Según estiman funcionarios cubanos, el poder de compra internacional de Cuba cayó aproximadamente un 70%.

La "nueva realidad" de sus relaciones económicas externas ha llevado a una política económica de corte más pragmático. Esto estimuló la adopción gradual de medidas económicas más flexibles dirigidas a atraer inversiones extranjeras y a promover la industria del turismo.[34] El impacto de estos cambios sobre las relaciones entre Cuba y los Estados Unidos fueron importantes en tanto generó nuevas tensiones en ambos países. Más adelante se analiza la evolución reciente de la relación entre Cuba y los Estados Unidos enfatizando el rol de la coerción para configuración de las relaciones bilaterales.

EL PASADO RECIENTE

Desde los años ochenta y particularmente desde el fin del mundo bipolar, la perseverancia de los Estados Unidos en aislar a Cuba se fue transformando en un acto de hostilidad unilateral y solitario. Las relaciones bilaterales se convirtieron en una prolongación irracional del juego de presiones que han sostenido Washington y Cuba en los últimos 35 años.[35] Durante todos estos años la principal herramienta estratégica de los Estados Unidos contra Cu-

---

[33] Según información oficial cubana, durante los años 1989-1993 las importaciones han decrecido desde u$s 8.220 millones a u$s 1.700 millones. Ver IRELA (1994), p. 5.

[34] Durante los últimos dos años el gobierno cubano adoptó diversas medidas orientadas hacia una "economía de mercado", como la libre circulación del dólar, el permiso a los agricultores para vender una porción de sus productos en mercados libres, la transformación de la mayoría de las plantaciones estatales en cooperativas autosuficientes, el cierre de fábricas improductivas, la autorización para el auto-despliegue en un limitado número de áreas. Las medidas de apertura de la economía cubana permitieron la presencia de inversores extranjeros en casi todos los sectores de la economía.

[35] Es extensa la literatura sobre las relaciones entre Cuba y los Estados Unidos. Ver por ejemplo: Jorge Domínguez y Rafael Hernández, eds. (1991); Marifeli Perez-Stable (1993); Jaime Suchlicki (1993); Juan C. Tokatlian (1984).

ba fue la imposición de sanciones económicas, en tanto que su principal instrumento político para desmoralizar al régimen de Castro ha sido admitir todos los pedidos de asilo de exiliados cubanos.[36] El costo del embargo comercial de los Estados Unidos a la isla desde los años sesenta ha superado largamente las demandas resultantes de las confiscaciones cubanas de bienes norteamericanos realizadas después de la Revolución Cubana.[37]

La formación de una extensa comunidad de exiliados cubanos en los Estados Unidos ha apoyado siempre el uso de métodos coercitivos contra el régimen de Castro. Esto se tradujo también en una oposición sistemática a cualquier tipo de flexibilización de la política norteamericana hacia Cuba. Bajo estas circunstancias el Congreso de los Estados Unidos aprobó en 1992 el Cuban Democracy Act (CDA) que profundizó aún más las sanciones económicas de este país contra Cuba.

Sin embargo, en círculos académicos, políticos y empresarios de los Estados Unidos, ha surgido una posición menos intransigente con respecto a Cuba. Esta tendencia se ha incrementado en tanto los anteriores prejuicios anticubanos de la Guerra Fría, profundizados durante la crisis de Centroamérica, se volvieron difíciles de justificar. Como consecuencia, numerosos sectores en los Estados Unidos han sugerido la necesidad de un acercamiento más pragmático hacia el régimen de Castro, en el cual la persuasión debería sustituir a la coerción.

En la actualidad, la inmigración cubana se ha transformado en una cuestión sensible en los Estados Unidos, particularmente después del episodio de los "balseros" en 1994. Aunque esa no fue la primera vez que un éxodo de refugiados cubanos produjo una crisis entre los Estados Unidos y Cuba, resultó ser la primera vez que Castro tuvo éxito en persuadir a los Estados Unidos de abandonar

---

[36] Una lista concisa de las medidas de represalia emprendidas por el gobierno de los Estados Unidos contra Cuba desde 1960 puede encontrarse en Gary Hufbauer, Jeffrey Schott y Kimberly Elliott (1990), pp. 194-204.

[37] En 1982, Cuba estimaba el costo del embargo en u$s 9.000 millones, mientras que a mediados de los ochenta los reclamos de los Estados Unidos por los bienes confiscados eran de u$s 3.000 millones. Ver Gary Hufbauer, Jeffrey Schott y Kimberly Elliott (1990), p. 200.

una línea de acción vigente desde la Guerra Fría. Posteriormente, la celebración de conversaciones bilaterales alcanzaron nuevos progresos, impulsando un arreglo sin precedentes en relación con los pedidos de asilo cubanos. En el largo plazo, el principal objetivo de Cuba es el levantamiento del embargo de los Estados Unidos, mientras que el de los Estados Unidos es comprometer a Castro a iniciar una genuina transición democrática.

PRIMERA FASE

Esta fase se inicia en octubre de 1992 cuando el Congreso de los Estados Unidos aprobó la Cuban Democracy Act (CDA) –conocida como la Enmienda Torricelli–. Bajo esta ley, las sanciones de los Estados Unidos se extendieron a todas las subsidiarias de las firmas norteamericanas que comerciaran con Cuba desde terceros países. Esto revirtió las anteriores medidas de distensión aplicadas a mediados de los años setenta que habían permitido a un número limitado de subsidiarias estadounidenses hacer negocios con Cuba. Desde ese entonces, los contactos económicos entre Cuba y los Estados Unidos se habían incrementado gradualmente, generando nuevos vínculos entre ambos países.

La Enmienda Torricelli recibió un fuerte apoyo de la Fundación Nacional Cubano-Norteamericana (FNCA). Esta ley tornó más severo el embargo comercial de los Estados Unidos a Cuba, prohibiendo embarques a la isla desde cualquier subsidiaria norteamericana. Además, prohibía por seis meses el desembarco en puertos norteamericanos a los barcos extranjeros que visitaran Cuba. La ley fortaleció el embargo pero abrió la posibilidad de reducir las sanciones en respuesta a "una evolución positiva", aunque no especificada, en Cuba.[38]

Han sido diversas las interpretaciones sobre el impacto del CDA. Según Domínguez, la "Enmienda Torricelli fue útil para Castro en tanto le permitía presentarla como una clara evidencia de

---

[38] Cuban Democracy Act de 1992, Public Law 102-484, 23 de octubre de 1992.

que Estados Unidos era verdaderamente un enemigo".[39] Al mismo tiempo las implicaciones extraterritoriales de la nueva ley norteamericana generaron una reacción negativa por parte de las compañías norteamericanas. Los países más afectados en las Américas fueron México, Brasil y Canadá.

Los efectos de las nuevas sanciones sobre la economía cubana fueron limitados, ya que sólo un 18% del comercio de la isla tenía lugar con subsidiarias norteamericanas instaladas en terceros países. Por otra parte, Cuba ha tenido un relativo éxito en expandir el comercio con socios tales como Rusia y China, logrando también incrementar el apoyo económico de los países europeos. Por último, se comenzó a cuestionar quiénes eran las víctimas reales de la ley, ya que las firmas norteamericanas se vieron forzadas a enfrentar nuevas restricciones sobre sus operaciones externas que reducían su competitividad en una economía mundial globalizada".[40]

La suspensión del embargo comercial norteamericano se convirtió en una alta prioridad para el gobierno cubano que rápidamente comenzó a hacer campaña ante la comunidad internacional para lograr la flexibilización de las medidas norteamericanas.[41] Cuba obtuvo el apoyo de varios gobiernos latinoamericanos que decidieron sumarse al reclamo de Castro de levantar el embargo comercial norteamericano. A mediados de 1993, Castro logró que se condenara el embargo de los Estados Unidos contra Cuba en la declaración final de la Tercera Cumbre Iberoamericana celebrada en Brasil. Asimismo, creció la oposición dentro de la Asamblea General de la ONU a las sanciones norteamericanas contra el régimen de Castro.[42]

[39] Jorge Domínguez (1994).
[40] Ver Donna Kaplowits (1994).
[41] Ver Luis Suárez Salazar (1994).
[42] En 1992, una resolución denominada "The Need to Terminate the US Economic Trade and Financial Blockade Against Cuba" fue aprobada en la Asamblea General de la ONU con 59 votos a favor y 3 en contra (los Estados Unidos, Israel y Rumania). En 1993 una resolución similar fue aprobada con 88 votos a favor y 4 en contra (los Estados Unidos, Israel, Albania y Paraguay). La resolución más reciente (1994) fue aprobada con 101 votos a favor y 2 en contra (Estados Unidos e Israel). Ver ONU A/47/L.20/Rev.1; ONU A/48/L.14/Rev.1; A49/L.9.

Sin embargo, la solidaridad internacional contra las sanciones a Cuba no impidió a la comunidad internacional expresar sus inquietudes con respecto a la violación de los derechos humanos en la isla. Así, la Asamblea General de la ONU aprobó resoluciones condenando el embargo comercial de los Estados Unidos, pero también votó a favor de una resolución que condenaba las violaciones cubanas a los derechos humanos. Un informe de la ONU reconoció la vinculación entre los problemas tratados en ambas resoluciones afirmando que "...una política hacia Cuba basada en sanciones económicas y otros métodos creados para aislar a la isla constituye, en la etapa actual, el modo más seguro para perpetuar una situación interna insostenible, ya que el único remedio que tiene Cuba para resistir las presiones externas sería luchar desesperadamente por permanecer en el pasado".[43]

Esta posición también es compartida por los activistas y las organizaciones de los derechos humanos tanto dentro como fuera de Cuba. Ellos creen que si se levantara el embargo de los Estados Unidos, en el contexto de un nuevo diálogo con el gobierno cubano, se reducirían automáticamente las tensiones y las restricciones políticas. El principal temor en este caso es que cuanto más presionen los Estados Unidos, menores serán las opciónes para que Castro se vaya, y esto podría conducir a un resultado aún más dramático.[44] Además, la rigidez de los Estados Unidos contribuyó al incremento de un "nacionalismo defensivo" en Cuba, permitiendo de este modo que el régimen revolucionario amplíe su apoyo interno. Es decir, la idea de cambio ha sido asociada con la idea de "extranjero" mientras que la de continuidad ha sido asociada con la de defensa de los intereses nacionales.

Por otra parte, el CDA acentuó las diferencias en los Estados Unidos acerca de la política más apropiada para Cuba. Ciertos sectores de la comunidad cubano-norteamericana comenzaron a temer que un resultado violento pudiera poner en peligro a los parientes que viven en la isla. Simultáneamente, instituciones tan dife-

[43] ONU Informe Provisorio (A/47/625) 19/11/92. Resolución (AC3/47/l/7).
[44] Hace algunos años Carlos Rico identificó este escenario como la "opción rumana". Ver Monica Hirst y Carlos Rico (1993), p. 249.

rentes como la Rand Corporation y el Inter-American Dialogue subrayaron la necesidad de un nuevo enfoque hacia el régimen de Castro.[45] Se considera que el fin de la Guerra Fría ha eliminado los anteriores intereses de seguridad haciendo que los métodos coercitivos de los Estados Unidos parezcan una obsesión pasada de moda.

En un primer momento la transición Bush-Clinton no significó un enfoque más flexible hacia el gobierno de Castro. Por el contrario, desde el comienzo, el gobierno demócrata manifestó su intención de presionar en favor de la democratización del régimen cubano. Dado que Cuba dejó de constituir una amenaza a la política mundial, al interrumpir el apoyo político y militar a los movimientos revolucionarios en el Tercer Mundo, la naturaleza del régimen de Castro se convirtió en el único problema reconocido explícitamente por los Estados Unidos. Esta postura se volvió irracional si se comparan las relaciones de los Estados Unidos con otras naciones no democráticas tales como China, Corea del Norte, Arabia Saudita e incluso Kuwait.[46] Al mismo tiempo los Estados Unidos no obtuvieron apoyo para su cruzada anticastrista en el ámbito interamericano. Aunque eran reconocidas las deficiencias políticas del régimen cubano, el principio de no intervención todavía seguía siendo un principio básico para la mayoría de los Estados de la región.

En los Estados Unidos, la comunidad cubana ha estado vinculada con el Partido Republicano y los sectores conservadores del Partido Demócrata, y posee gran influencia en el estado de La Florida. Por esta razón, se le aconsejaba a Clinton no hacer cambios en la política hacia Cuba que pudieran irritar a los sectores conservadores del Partido Demócrata.[47] Siguiendo esta recomendación, el gobierno de Clinton expresó su apoyo a la Ley Torricelli, negándose a hacer concesiones a Castro hasta que él aceptara las "reglas del juego".[48] Tratando también de enviar un mensaje a la comuni-

---

[45] Ver Wayne Smith (1994).
[46] *Ibíd.*
[47] Ver Gilliam Gunn (1994).
[48] Ver discurso del subsecretario de Estado, Clifton R. Wharton, en The Americas Society y el Council of the Americas, Nueva York, 3 de mayo de 1993.

dad internacional y a los exiliados cubanos en los Estados Unidos, Clinton dejó en claro que la coerción contra Castro no implicaría el uso de la fuerza.[49]

No obstante, al mismo tiempo que Clinton apoyaba la CDA, buscaba establecer silenciosamente una agenda positiva con el régimen de Castro. De este modo, se incrementaron la ayuda humanitaria, los viajes para exiliados y académicos y las actividades de intercambio cultural, y las firmas de telecomunicaciones norteamericanas pudieron iniciar negociaciones para ampliar su presencia en la isla.

Desde el punto de vista cubano surgieron dos alternativas: intentar una estrategia de contra-coerción que contribuyese a abrir una puerta a las negociaciones con Estados Unidos, o aferrarse a una posición heroica, aun suicida, que probablemente conduciría a un resultado dramático. El gobierno de Castro optó por la primera opción eligiendo la inmigración como la cuestión con la cual iniciar un proceso de negociación con el gobierno norteamericano.

SEGUNDA FASE

Esta fase se inicia en agosto de 1994 cuando una protesta sin precedentes en La Habana llevó a Castro a anunciar que los cubanos eran libres para salir del país. A partir de entonces, aproximadamente 25.000 cubanos abandonaron la isla con la esperanza de alcanzar el territorio norteamericano. Pero esta vez el éxodo respondía a otros motivos. La nueva ola de refugiados cubanos ya no estaba compuesta de refugiados políticos, sino de inmigrantes económicos. Sin embargo, sólo un número limitado de cubanos alcanzaron su destino. El uso de embarcaciones precarias condujo a numerosos accidentes y muertes, y la mayoría de los refugiados fueron rescatados por patrullas norteamericanas y llevados a la base naval norteamericana de Guantánamo.

El gobierno de los Estados Unidos reaccionó inmediatamente y el propio presidente Clinton declaró que "(...) el gobierno cuba-

[49] *Ibíd.*

no no tendría éxito en cualquier intento de dictar la política de inmigración norteamericana".[50] La decisión inicial fue detener la inmigración ilegal cubana a través de una eficaz acción por parte del servicio de guardacostas de los Estados Unidos. Además, el secretario de defensa William Perry anunció que se estaban preparando nuevas facilidades en Guantánamo para poder hospedar a los balseros que estaban abandonando la isla.[51] En respuesta a la jugada de Castro, el gobierno norteamericano prohibió los vuelos *charters* a Cuba así como los envíos de dinero de los cubanos radicados en los Estados Unidos a sus parientes en la isla.

Una serie de negociaciones entre los Estados Unidos y Cuba celebradas en Nueva York, a principios de septiembre de 1994, condujeron a un acuerdo sobre inmigración. El gobierno cubano accedió a impedir el flujo de balseros que se dirigían hacia los Estados Unidos, mientras que el gobierno norteamericano se comprometió a aumentar de 10.000 a 20.000 el número de cubanos autorizados a entrar legalmente cada año a los Estados Unidos. Por otra parte, les sería inmediatamente permitido el ingreso al territorio norteamericano a los aproximadamente 6.000 cubanos que aguardaban el otorgamiento de sus visas. Los pedidos deberían ser procesados en la oficina *Interest Section* de los Estados Unidos en La Habana. Estas negociaciones establecieron que los cubanos todavía recibirían tratamiento preferencial en tanto que a muchos de los cientos de refugiados en la base de Guantánamo se les permitiría entrar en los Estados Unidos por razones humanitarias, es decir que nadie sería forzado a regresar a Cuba.[52]

En el Comunicado Conjunto de los Estados Unidos y Cuba sobre Migración, conceptos tales como "mutuo interés" e "interés común" se usaron por primera vez luego de 34 años de hostilidad recíproca. Más importante aún fue la desaparición de las motivaciones presentes durante la Guerra Fría que habían restringido la

---

[50] Ver US Department of State Dispatch, 29 de agosto de 1994.
[51] Ver "Remarks done by Secretary of Defense William Perry during a White House press briefing", Washington, 24 de agosto de 1994. Ver US Department of State Dispatch, 29 de agosto de 1984.
[52] Ver "US-Cuba Joint Communique on Migration", Nueva York, 9 de septiembre de 1994, US Department of State Dispatch, septiembre de 1994.

relación entre ambos países. El comunicado señalaba que "los Estados Unidos han discontinuado su práctica de otorgar la libertad bajo palabra a todos los inmigrantes cubanos que alcancen el territorio norteamericano de modo irregular".[53]

Cuba, por su parte, se comprometió a recibir a todos los ciudadanos que hubieran partido recientemente y desearan regresar sin imponerles ninguna clase de represalias. El acuerdo entre Cuba y los Estados Unidos no solucionó todos los problemas generados por el nuevo éxodo cubano. Entre los problemas pendientes estaban los 20.000 cubanos que habían sido rescatados y llevados a Guantánamo y la capacidad limitada de la base para continuar absorbiendo exiliados cubanos. No obstante, el Secretario de Justicia norteamericano manifestaba que "aquellos que eligieran no regresar a Cuba serían retenidos en Guantánamo indefinidamente".[54]

Si bien Castro no tuvo éxito en avanzar más allá de una negociación sobre inmigración, fue capaz de poner de relieve los costos impuestos por el embargo comercial de los Estados Unidos. Como resultado, importantes líderes políticos comenzaron a sugerir un nuevo enfoque hacia el régimen de Castro, pidiendo un gradual levantamiento de las sanciones. Esta reacción mostró que Castro lograba enfrentar la diplomacia coercitiva de los Estados Unidos con su iniciativa de liberalizar la inmigración cubana. De hecho, el gobierno cubano consideró este acuerdo como una verdadera victoria, interpretándolo como una señal de que los Estados Unidos estaban finalmente moderando su posición hacia la isla. Este entendimiento formal fue percibido entonces como un primer paso hacia su legitimación *vis-à-vis* los Estados Unidos.

Dentro de ciertos círculos de Washington se comenzó a admitir que las sanciones económicas contra Cuba no habían logrado sus objetivos y que debería promoverse una estrategia que implicara una mayor penetración de los medios desde los Estados Unidos hacia Cuba. De hecho las posiciones en los Estados Unidos oscilaban entre dos extremos. Por un lado, la línea dura del gobierno, apoya-

---

[53] *Ibíd.*
[54] Ver "Attorney General Janet Reno Remarks during a White House press briefing", US Department of State Dispatch", Washington, 24 de agosto de 1994.

dos por la FNCA, se oponía a cualquier clase de acuerdo con Castro. Por otro lado, sectores blandos del Consejo de Seguridad Nacional y del Departamento de Estado compartían un enfoque levemente conciliador hacia el régimen cubano en tanto que reconocían la capacidad de Castro para resistir la severa crisis económica y la profundización del embargo de los Estados Unidos. La línea blanda también admitía que el gobierno norteamericano carecía de una estrategia de largo plazo que desplazara pacíficamente a Castro del poder y al mismo tiempo asegurara una transición democrática.[55]

Mientras se desarrollaba este debate, el nuevo flujo de refugiados cubanos se convertía en un asunto problemático para el gobierno de Clinton. El arribo de los refugiados cubanos estimuló fuertes sentimientos xenófobos –particularmente en estados densamente poblados como California, Texas y Florida– que debilitaron el apoyo dado por los cubano-norteamericanos a sus compatriotas. El mayor temor en los Estados Unidos era que se repitiera un desembarco como el de Mariel en 1980, dando lugar a un nuevo flujo de miles de refugiados cubanos hacia ese país.[56]

El fuego cruzado en la política interna con respecto a Cuba se intensificó a medida que la inmigración, las sanciones económicas y la transición democrática parecían complicarse. Los cubano-norteamericanos temían fundamentalmente que se abandonara gradualmente el embargo comercial contra Castro. Cualquier arreglo entre el gobierno de los Estados Unidos y el régimen cubano era percibido como una amenaza a su influencia sobre la Cuba post-Castro.

El fin de una política de asilo automático para los cubanos causó diferentes reacciones en los Estados Unidos. Sectores empresarios y funcionarios del gobierno de Clinton percibieron la negociación sobre inmigración como un primer paso positivo para mo-

[55] Ver *The Miami Herald*, 4 de mayo de 1995, 4A, y *US News & World Report*, 12 de setiembre de 1994, p. 34.

[56] A mediados de 1980, aproximadamente 125.000 cubanos partieron desde Mariel, en Cuba, para entrar en los Estados Unidos. La inmigración fue autorizada entonces por el régimen de Castro en tanto que el presidente Carter permitió a los cubano-norteamericanos proveer los barcos a ser usados por la mayoría de los refugiados que partieron de la isla. El desembarco de Mariel fue el episodio más dramático de inmigración cubana masiva a los Estados Unidos desde que Fidel Castro asumió en 1959.

derar las sanciones impuestas contra el régimen de Castro. Los sectores más recalcitrantes de la elite política, especialmente en la comunidad cubano- norteamericana, creyeron que el acuerdo frustraría la estrategia de contra-coerción de Castro. La Habana era percibida como el gran perdedor, ya que las nuevas restricciones impuestas sobre Cuba durante la crisis de refugiados no habían sido levantadas. Más aún, los balseros serían retenidos en la base militar norteamericana de Guantánamo, y se habían incluso incrementado las transmisiones anticastristas desde los Estados Unidos (a través de TV y Radio Martí) .

En realidad, ambas interpretaciones eran correctas. Ellas revelaban la superposición de un cambio gradual de las premisas de la política exterior norteamericana hacia Cuba con las restricciones políticas impuestas por los intereses electorales de Clinton, particularmente en el estado de Florida.

TERCERA FASE

Aunque el acuerdo sobre inmigración logró interrumpir la salida masiva de cubanos, dejó una serie de problemas pendientes sobre la mesa. En abril de 1995 tuvieron lugar dos importantes acontecimientos. El primero fue una nueva negociación entre Washington y La Habana sobre inmigración y el segundo fue la presentación de un proyecto de ley en el Congreso de los Estados Unidos proponiendo nuevas sanciones económicas a la isla.

Tras dos semanas de negociaciones, los gobiernos de Cuba y de los Estados Unidos anunciaron a principios de mayo de 1995 que se había alcanzado un nuevo acuerdo. Los 21.000 refugiados en Guantánamo serían finalmente admitidos en territorio norteamericano pero los futuros balseros rescatados en alta mar deberían retornar a Cuba.[57] Por primera vez, desde 1959 el gobierno de los Estados Unidos decidió devolver refugiados cubanos a su tierra natal. Según el nuevo acuerdo, los balseros cubanos serían tratados como

---

[57] El nuevo acuerdo determinó que los refugiados cubanos retenidos en Guantánamo serían admitidos en los Estados Unidos a razón de 500 personas por semana.

inmigrantes ilegales y sólo aquellos que se sintieran perseguidos políticamente podrían pedir visas de refugiados. En otras palabras, los cubanos ya no serían más considerados automáticamente víctimas de una tiranía; ellos eran inmigrantes económicos igual que los haitianos, jamaiquinos o paquistaníes que trataban de entrar en los Estados Unidos en busca de mejores oportunidades económicas.

Este entendimiento fue el producto de una cooperación sin precedentes entre Washington y La Habana, que contó con el apoyo de Ottawa. Mientras ambos países se pusieron de acuerdo sobre la repatriación inmediata de los balseros a Cuba a través del servicio de guardacostas de los Estados Unidos, Castro prometió que aquellos que regresaran no enfrentarían represalias. El gobierno cubano aclamó el acuerdo como un indicio importante de la normalización de las relaciones entre ambos países. Los políticos de Florida –particularmente del Partido Demócrata– lo vieron como el único modo de evitar futuras crisis de refugiados, pero la comunidad de cubano-norteamericanos –en especial la FNCA– y sus aliados republicanos reaccionaron con gran indignación. Como el acuerdo fue puesto en vigor en forma inmediata, esta reacción impulsó protestas públicas y el retiro del apoyo económico anteriormente prestado para ayudar a los cubanos provenientes de Guantánamo. Para los sectores conservadores estadounidenses, el nuevo acuerdo significaba una importante concesión a Castro en la medida que permitía que "el servicio de guardacostas de los Estados Unidos se convirtiera en un brazo de la tiranía de Fidel".[58]

En el mes previo a las negociaciones entre los Estados Unidos y Cuba, hubo nuevas iniciativas dentro de los círculos republicanos en favor de sanciones económicas adicionales contra el régimen de Castro. Un proyecto auspiciado por el senador Jesse Helms y el diputado Danny Burton reclamaba la imposición de un "segundo embargo" sobre Cuba que prohibiría las importaciones de azúcar y productos derivados desde países que importaban esos productos desde Cuba.[59] De acuerdo con este proyecto, los norteame-

---

[58] Ver Jeanne Kirkpatrick (1995).

[59] El senador republicano Jesse Helms, oriundo de Carolina del Norte, asumió en 1995 como presidente de la Comisión de Relaciones Exteriores del Senado; y el representante Danny L. Burton es oriundo del estado de Indiana.

ricanos que se vieron perjudicados por expropiaciones tendrían derecho a procesar a compañías de terceros países cuyas actividades estuvieran conectadas con las empresas expropiadas.

La nueva ley también negaría la entrada en los Estados Unidos a toda persona vinculada con esa compañía, estableciendo además que los Estados Unidos buscarían apoyo de la ONU para transformar el embargo en una iniciativa multilateral. Muchos críticos vieron al proyecto Helms-Burton como un intento de imponer una jurisdicción extraterritorial que afectaría negativamente la imagen del embargo ante la comunidad internacional.

Esta fase inaugura un período de mayor polarización de las posiciones dentro de los Estados Unidos con respecto a Cuba. Mientras el gobierno hace explícita su intención de trabajar en torno a una agenda positiva, los líderes republicanos, apoyados por la comunidad cubano-norteamericana, insisten en profundizar las sanciones. En el primer caso, es interesante mencionar un informe preparado por el Departamento de Defensa, en el cual la permanencia de Castro en el poder es percibida como un hecho que puede favorecer un proceso de transición gradual y pacífico. Según este informe, ésta podría ser una solución conveniente para los Estados Unidos, ya que todas las otras conducirían a peores resultados.[60]

Los acontecimientos en el Congreso norteamericano estuvieron vinculados con la reciente ola conservadora desde que el Partido Republicano se volvió hegemónico en el Capitolio. En este contexto, el aislacionismo en la política mundial, las políticas migratorias restrictivas y el unilateralismo comercial agresivo se transformaron en ideas poderosas en Washington.

EVALUACIÓN FINAL

De hecho, las relaciones entre Cuba y los Estados Unidos parecerían estar iniciando un período de cambio en el cual la efica-

---

[60] Este informe fue dirigido por Néstor Sánches, subsecretario de Defensa para América Latina con la colaboración de Yuri Pavlov, anterior director del Departamento de América Latina del Ministerio de Relaciones Exteriores de Rusia. Ver *New York Times*, 19 de mayo de 1995.

cia de la diplomacia coercitiva y de la contra-coerción tenderían a agotarse. Seguramente, nuevas etapas tendrán lugar y como en un juego de ajedrez, cada jugador continuará moviendo sus piezas cuidadosamente. No obstante, hasta que ambos lados no acuerden cumplir con las demandas del otro, será difícil que se produzca un avance significativo.

Las negociaciones más recientes sobre inmigración pueden ser vistas como un primer paso hacia un nuevo patrón de relaciones bilaterales. A diferencia de lo sucedido en agosto de 1994, estas negociaciones no fueron acompañadas por ninguna clase de medidas coercitivas. En una reacción positiva, el régimen de Castro comenzó a emitir nuevas señales de distensión política y liberalización económica. La liberación de prisioneros políticos junto con la revisión de más de 20 casos de disidentes encarcelados, en respuesta a pedidos hechos por un grupo de derechos humanos francés, fue una señal importante en este sentido.[61]

Simultáneamente, el Congreso de los Estados Unidos ha asumido la delantera en la promoción de medidas coercitivas contra Cuba, que cuenta con un respaldo total de los sectores más poderosos de la comunidad de exiliados cubanos. La inclusión de un párrafo en un nuevo proyecto de ley sobre inmigración que suprime la "Cuban Act Adjustment Law" ha sido un nuevo paso en esta dirección.[62] En realidad, la política interna de Estados Unidos y de Cuba se ha convertido en la principal fuente de presiones e intereses que condicionan las relaciones entre ambos países, mientras que la política internacional ya no interfiere en las mismas.

Un último aspecto pero crucial en esta relación ha sido la aceptación de nuevos mediadores por ambas partes. Por primera vez, se ha otorgado a Canadá un lugar formal en las negociaciones bilaterales, tal como lo demuestra su participación en el acuerdo

---

[61] El grupo de defensa de los derechos humanos responsable por el pedido ha sido France-Libertes, dirigido por la ex-primera dama Danielle Mitterand. Esta iniciativa debe entenderse también como una respuesta positiva a la visita de Castro a Francia en 1995, cuando el ex-presidente Mitterand trató al presidente cubano como un prestigioso jefe de Estado.

[62] La "Cuban Adjustment Law" de 1995 concedía residencia permanente a todos los cubanos después de un año de su entrada legal a Estados Unidos.

sobre inmigración de 1995. Este país ha mantenido por mucho tiempo una posición autónoma *vis-à-vis* los Estados Unidos con respecto a Cuba, siendo acusado en muchas ocasiones de obstruir la eficacia de las sanciones económicas de los Estados Unidos.

Por el lado cubano, las recientes mejoras en las condiciones de los derechos humanos deben ser acreditadas a las presiones del anterior gobierno francés. También es preciso señalar que el ex-presidente Carter ha manifestado su deseo de jugar un rol de mediador en el proceso de mejoramiento de las relaciones entre los Estados Unidos y Cuba, exhibiendo entre otras credenciales el rol desempeñado durante la última fase de la crisis haitiana.

Con respecto a la eficacia de la estrategia coercitiva de los Estados Unidos, Castro fue capaz de transformar las sanciones económicas en un instrumento a su favor y ampliar su respaldo popular. Esto ha ocurrido desde que los Estados Unidos aplicaron medidas coercitivas a principios de los años sesenta hasta ahora, cuando el Congreso ha emprendido una nueva cruzada contra la isla. Como lo ha expresado un exiliado cubano: "los cubanos ven el embargo como una medida punitiva, orientada más hacia ellos que hacia Castro. Ellos saben que se propone el embargo (que la población se rebele contra Castro), y es debido a esto que ellos no lo han cumplido. Yo espero que nunca lo cumplan. Eso significaría la guerra civil en Cuba y un pretexto para que los Estados Unidos intervengan".[63]

Un nuevo conjunto de turbulencias sacudió esta relación en febrero de 1996, cuando dos aviones civiles pertenecientes al grupo Hermanos al Rescate fueron derribados por MiGs cubanos.[64] Ya en julio de 1995, Cuba había advertido que si los pilotos de Hermanos violaban el espacio aéreo cubano o las aguas de este país,

---

[63] *Washington Post*, 24 de mayo de 1995.

[64] Hermanos al Rescate es una agrupación que tiene base en Miami y que fue fundada en 1991 por miembros de la comunidad anticastrista de exiliados cubanos como un grupo de protesta pacífico. Su misión era volar sobre el Caribe tratando de ubicar embarcaciones de refugiados cubanos. Al encontrar alguna balsa, los pilotos de Hermanos solían arrojar radios pequeñas o luces de bengala, de manera que pudieran ser encontrados rápidamente por el Servicio de Guardacostas de los Estados Unidos. Desde mediados de 1995, los Hermanos comenzaron a volar directamente sobre la ciudad de La Habana para arrojar panfletos de propaganda expresando apoyo al grupo de oposición Concilio Cubano.

serían atacados, y en agosto el Departamento de Estado anunció que tomaría las advertencias cubanas seriamente. El día de los ataques, el Concilio Cubano, una coalición de 130 grupos de profesionales y derechos humanos independientes, había planeado realizar la mayor reunión de oposición en La Habana hasta que el gobierno cubano negó el permiso.[65]

Como respuesta a Castro, Clinton acordó dar apoyo al proyecto de ley Helms-Burton que fue sancionado en marzo de 1996.[66] Así, el derribamiento cambió de forma significativa la política de Clinton de apertura hacia Cuba. Para algunos, la política "cuidadosamente calibrada" del gobierno de Clinton hacia Cuba fue víctima de la estrategia de un grupo de oposición como Hermanos al Rescate; para otros, fue manipulada por intereses políticos típicos de un año electoral. De todas maneras, Clinton que había buscado una política de apoyo al cambio democrático cubano, mientras mantenía el embargo, optó por una re-escalada que además de volver atrás con los pequeños avances que se habían dado, creó un nuevo marco de incertidumbre en las relaciones entre los Estados Unidos y Cuba.

4. La disputa de Estados Unidos y Brasil
sobre propiedad intelectual

Esta sección examina el uso de la diplomacia coercitiva en América Latina en el campo de las negociaciones económicas internacionales.[67] Nuevamente los Estados Unidos aparecen como el principal emisor, pese a que esta vez la coerción no responde a ob-

---

[65] El Concilio Cubano no es un movimiento de masas pero podría representar el desafío político más importante para Castro en sus 36 años de gobierno. Diferente de otras organizaciones anticastristas, el Concilio Cubano no tiene como objetivo derrocar a Castro sino simplemente exigir al gobierno que respete su propia Constitución y garantice la libertad de expresión.

[66] La ley aprobada constituye una incursión sin precedentes dentro de las perrogativas de la Casa Blanca sobre política exterior. En el futuro, cualquier presidente de los Estados Unidos encontrará imposible suspender el boicot sin conseguir previamente una luz verde del Congreso.

[67] Esta sección está parcialmente basada en un trabajo anterior escrito con María Regina Soares de Lima. Ver Monica Hirst y Maria Regina Soares de Lima (1994).

jetivos políticos sino a intereses económicos. Aunque esta ha sido una herramienta importante en las negociaciones comerciales entre los Estados Unidos y América Latina, y particularmente en las disputas norteamericano-brasileñas desde mediados de los años ochenta, sus resultados han variado según las diferentes dinámicas creadas entre intereses internos y presiones externas.

En este caso, los Estados Unidos utilizaron amenazas para presionar a Brasil, con el propósito de abrir su mercado en el área de la propiedad intelectual. Se ha admitido que el uso de la coerción por parte del gobierno de los Estados Unidos en esta área no ha tenido éxito en obligar a los países a cambiar sus prácticas. De hecho, " los Estados Unidos han invertido gran cantidad de tiempo y energía en su estrategia coercitiva y han obtenido hasta ahora muy pocos beneficios en relación con la protección de la propiedad intelectual".[68]

EL CONTEXTO GENERAL

Las divergencias entre los Estados Unidos y Brasil en los últimos diez años han estado acompañadas por una creciente complejidad de las relaciones bilaterales. Este proceso ha sido particularmente notable en áreas como comercio y seguridad. En ambas, la interacción entre la realidad interna y la internacional ha sido un rasgo dominante.

Aunque la diplomacia coercitiva en las negociaciones comerciales de los Estados Unidos no ha tenido como único blanco las prácticas comerciales brasileñas, los episodios de unilateralismo agresivo se tornaron particularmente frecuentes en las relaciones norteamericano-brasileñas. Desde 1985, cuando se inició una investigación bajo la sección 301 contra Brasil por su política de informática, esta práctica se ha vuelto recurrente en las relaciones bilaterales. Por eso mismo, hay un sentimiento extendido entre las elites brasileñas de que el país se ha convertido en un objetivo preferencial del unilateralismo agresivo de Estados Unidos.[69] De he-

[68] Ver Susan Sell (1995).
[69] En relación con la disputa Brasil - Estados Unidos sobre la informática ver John Odell (1993), Peter Evans (1986) y Emanuel Adler (1986).

cho, este tipo de política corresponde a las posiciones del ala dura del "liberalismo fragmentario" norteamericano, y ha sido resultado de una "(...) curiosa mezcla de apertura y cierre, cooperación en Ginebra y coerción en Washington".[70]

En los últimos diez años, las disputas comerciales entre los Estados Unidos y Brasil se desarrollaron en un contexto de continuo deterioro de las relaciones bilaterales resultante de dos factores principales. En primer lugar, Brasil perdió poder de negociación *vis-à-vis* los Estados Unidos en un período en que aumentó su vulnerabilidad económica externa. Desde la crisis de la deuda, Brasil quedó más expuesto a las restricciones financieras internacionales –y particularmente de los Estados Unidos– que contribuyeron a debilitar aún más las condiciones macroeconómicas brasileñas.

En segundo lugar, la democratización en Brasil ha generado un proceso en el cual diversos intereses económicos y políticos influyen en el desarrollo de políticas internas y externas. En consecuencia, la consolidación democrática ha restringido la autonomía relativa del Poder Ejecutivo en Brasil, al punto que intereses económicos, partidarios y sociales tengan un enorme peso en la política nacional, especialmente en el ámbito parlamentario.

Es importante señalar que, en la primera mitad de los años noventa, las dificultades entre los Estados Unidos y Brasil fueron un capítulo difícil en un ambiente sin precedentes de convergencia interamericana. Las tensiones entre los Estados Unidos y Brasil resultaron de una escalada de incidentes conflictivos, alimentados por la percepción de que Brasil se resistía a implementar una reforma económica similar a la de países como la Argentina, México y Chile. Finalmente, las relaciones bilaterales también se habían deteriorado a causa de los sucesos políticos en Brasil, en los que la falta de una coordinación entre el Poder Legislativo y el Ejecutivo afectó la capacidad del país para cumplir con sus compromisos internacionales.

[70] John Odell (1990).

Primera fase

En marzo de 1990, luego de 21 años de autoritarismo, Brasil inauguró su primer gobierno democrático. El presidente electo Collor de Mello prometió que Brasil se convertiría en un "país moderno del Primer Mundo", dejando atrás su etapa de "capitalismo bárbaro". Particularmente preocupado por la creciente marginación internacional del país, el nuevo gobierno anunció un amplio programa de reformas económicas en el que se destacaban medidas de liberalización comercial y de inversiones, renegociación de la deuda externa, y privatización de las empresas estatales. Simultáneamente, se implementó una política exterior cooperativa con los Estados Unidos que incluyó el compromiso de cambiar la legislación de propiedad intelectual del país.

Collor de Melo prometió al gobierno de los Estados Unidos que enviaría al Congreso un proyecto de ley sobre propiedad intelectual para poner en vigor una nueva legislación de patentes. Esta iniciativa fue impulsada bajo la presión de sanciones y represalias adoptadas contra Brasil desde 1988, a partir de un proceso de investigación en relación con la sección 301 de la ley de Comercio de Estados Unidos para satisfacer una demanda de la Asociación de Fabricantes Farmacéuticos (PMA).[71] Esta decisión estuvo asociada a la política de los Estados Unidos de presionar por una protección internacional más rigurosa de los derechos de propiedad intelectual. Brasil fue el único caso que sufrió una represalia comercial de los Estados Unidos según las disposiciones de la sección 301.[72] En respuesta, Brasil presentó una denuncia en el GATT que fue posteriormente retirada cuando los Estados Unidos suspendieron las sanciones con la condición de que el nuevo gobierno brasileño pusiera en vigor una legislación de patentes.

Esta legislación incluiría la protección de patentes de productos y procesos farmacéuticos. El gobierno de los Estados Unidos, y

---

[71] El valor de las sanciones contra Brasil sumó u$s 39 millones, afectando los productos de la industria papelera, las drogas sin benceno y los productos electrónicos. Ver Thomas Bayard & Kimberly Elliot (1994), pp. 197-8.

[72] Susan Sell (1995), p. 327.

particularmente el Representante Comercial (USTR), era consciente de la resistencia que debería enfrentarse en Brasil para la aprobación de esta legislación por parte de los productores nacionales y de los dirigentes políticos. Sin embargo, existía gran expectativa en que los obstáculos políticos internos serían superados ya que el nuevo presidente brasileño se había comprometido a sancionar una nueva legislación de patentes. Es interesante señalar que, aunque las negociaciones entre el gobierno de los Estados Unidos y el de Brasil parecían haber entrado en una etapa de mayor entendimiento y convergencia, los Estados Unidos no renunciaron al uso de métodos coercitivos. El nuevo gobierno brasileño consideraba crucial mejorar las relaciones con los Estados Unidos para atraer inversiones y acceder al conocimiento de alta tecnología. A mediados de 1990 la Representante Comercial de los Estados Unidos, Carla Hills, subrayó que "(...) su acceso dependía del grado de protección de la propiedad intelectual".[73]

Otro aspecto importante es que las sanciones impuestas por los Estados Unidos se convirtieron en una fuente de politización interna en Brasil que sobrepasó la importancia del sector farmacéutico local. Aunque el 80% de los laboratorios que operaban en el país eran brasileños, ellos controlaban sólo el 15 % del consumo interno de drogas farmacéuticas, el cual estaba ampliamente dominado por firmas multinacionales. La politización también se había desarrollado en los Estados Unidos, donde el PMA poseía una extraordinaria capacidad de "lobby" en el USTR.

Manteniendo su palabra, el gobierno de Collor de Mello envió al Congreso, en mayo de 1990, un proyecto de ley sobre los derechos de la propiedad intelectual acorde con las demandas del gobierno de los Estados Unidos. Sin embargo las condiciones políticas en Brasil introdujeron nuevas variables que retrasaron y obstruyeron el proceso legislativo. La legislación sobre patentes, en contra de las expectativas, se convirtió en la cuestión más controvertida en las relaciones entre ambos países.

---

[73] Thomas Bayard & Kimberley Elliot (1994), p. 198.

SEGUNDA FASE

Tan pronto como el proyecto enviado por el gobierno de Collor de Mello fue sometido a los procedimientos legislativos, comenzó un nuevo capítulo en la controversia entre Brasil y los Estados Unidos sobre los derechos de la propiedad intelectual. Para entender esta nueva fase, es importante considerar tres aspectos: el debate sobre patentes en Brasil, las tensiones en las relaciones norteamericano-brasileñas, y el cuadro de crisis política y desorden macroeconómico en Brasil.

En Brasil, por no referirse exclusivamente a los productos farmacéuticos, el nuevo proyecto legislativo afectaba una serie de intereses. En consecuencia, sectores tan diversos como la Iglesia Católica, los militares, los industriales y los intelectuales reaccionaron contra el proyecto. En respuesta, la organización farmacéutica nacional –la Asociación Brasileña de Productos Químicos– introdujo su propio proyecto. Éste ampliaba de 9 a 13 años el plazo de protección de patentes y ofrecía términos de patente que desde la óptica norteamericana eran insuficientes.[74] Posteriormente, una nueva propuesta apoyada por el Poder Ejecutivo y, más convergente con las demandas de la PMA, se presentó ante el Congreso. Durante los meses siguientes, se hicieron más de 1400 enmiendas a este proyecto y el debate interno se volvió cada vez más polarizado.

Mientras tanto la PMA, aún preocupada con el proceso legislativo brasileño, decidió seguir de cerca la posición de Brasil sobre patentes. Los Estados Unidos también emplearon otros mecanismos para arrinconar a Brasil. El gobierno brasileño había sido presionado para firmar un nuevo acuerdo sobre cooperación científica y tecnológica que mencionaba por primera vez que la cooperación sólo sería posible en sectores en los que se protejieran los derechos intelectuales. Esto excluía automáticamente áreas como la industria farmacéutica, química y alimenticia.[75]

---

[74] Thomas Bayard y Kimberly Elliot (1994), p. 199.
[75] Maria Helena Tachinardi (1993), p. 24.

Nuevos acontecimientos contribuyeron a disipar la idea de un mejoramiento de las relaciones norteamericano-brasileñas. En primer lugar, Brasil decidió mantener la suspensión del pago de los servicios de la deuda a los bancos privados, y luego –más importante– la actuación del gobierno brasileño durante la Guerra del Golfo no se correspondió con las expectativas de los Estados Unidos. Entre tanto, la falta de apoyo de las elites políticas y económicas, junto con los abusos de poder de Collor de Mello y sus más estrechos colaboradores, llevaron a Brasil a una seria crisis institucional. El presidente fue acusado de corrupción por el Congreso e impedido de gobernar a partir de septiembre de 1992. Cuando el vicepresidente Itamar Franco asumió la presidencia, Brasil enfrentaba una grave crisis política en la que el Poder Legislativo se convirtió en el actor más importante del sistema político nacional.

En estas circunstancias, se profundizó la presión de los Estados Unidos sobre Brasil respecto de la necesidad de una nueva ley de propiedad intelectual. Mientras que en Brasil un grupo de entidades sociales hizo campaña para demorar el proceso de votación en el Congreso, la PMA recomendó que Brasil permaneciera en la lista de observación de la USTR, lo que significaba que una vez más las investigaciones podrían terminar en sanciones y represalias. El gobierno de Itamar Franco sugirió nuevas modificaciones que llevaron a obstrucciones adicionales en el proceso legislativo. En abril de 1993, el USTR insistió en sus métodos coercitivos incluyendo a Brasil en una lista de prioridad de países a ser investigados, lo que significaba que las sanciones se convertían en una amenaza concreta.

En Brasil, la transformación del país en blanco de las sanciones norteamericanas fue interpretada como una consecuencia de la estrategia ofensiva de los Estados Unidos. Para los brasileños, las razones por las que los Estados Unidos adoptaban tal estrategia variaban desde la importancia de su mercado interno para los productos norteamericanos hasta el interés en usar a Brasil como un caso ejemplar del unilateralismo agresivo en legislación de patentes. Cuando las reacciones nacionalistas alcanzaron su punto más alto, el Ministerio de Relaciones Exteriores de Brasil trató de desideologizar el debate interno trabajando fuertemente para restablecer un proceso de negociación con el gobierno norteamericano.

Sin embargo, Brasil era percibido en los Estados Unidos como un país irresponsable, no sólo por no cumplir con sus compromisos sobre legislación de patentes, sino también por sus fracasados intentos de estabilizar y desregular su economía. En diferentes círculos de Washington, Brasil era visto como un país que había perdido el rumbo en el nuevo orden mundial, careciendo de liderazgo interno y de credibilidad internacional. En este contexto el USTR inició un proceso de mensajes coercitivos zigzagueantes, primero continuando con las investigaciones de la 301, luego una vez que éstas habían concluido, postergando transitoriamente la decisión de poner en vigor las sanciones y represalias. En febrero de 1994, se alcanzó una negociación de último momento que daba a Brasil plazo hasta junio de 1994 para aprobar la ley de propiedad intelectual. Aparentemente las disputas bilaterales sobre patentes habían finalizado.

EVALUACIÓN FINAL

Las negociaciones norteamericano-brasileñas sobre patentes tuvieron un impacto importante sobre las relaciones bilaterales. Aunque la legislación de patentes no fue aprobada dentro del nuevo plazo acordado, se generó el espacio político para armar una agenda bilateral positiva. En los Estados Unidos, se comenzaron a evaluar los costos de una relación conflictiva con Brasil, especialmente ante el éxito de las políticas de estabilización económica en este país. En Brasil, las posiciones defensivas y conflictivas *vis-à-vis* los Estados Unidos no desaparecieron pero, en el contexto de importantes cambios económicos y políticos, ellas asumieron lentamente una importancia secundaria. Además, los resultados de las elecciones presidenciales de noviembre de 1994 generaron la expectativa de que las políticas económicas de Brasil seguirían fórmulas neoliberales, similares a las ya adoptadas en la mayoría de los países latinoamericanos. En consecuencia, las expectativas generales en Brasil y en los Estados Unidos eran que las relaciones bilaterales mejorarían inevitablemente.

En abril de 1995, cuando el presidente Cardoso visitó los Estados Unidos, uno de sus principales esfuerzos fue el de incluir la legislación sobre los derechos de la propiedad intelectual entre los nuevos indicadores que demostraban que Brasil cumplía con sus compromisos internacionales. Aunque se buscó una mayor coordinación entre el Poder Ejecutivo y el Legislativo, resultó imposible lograr ese objetivo debido a que enmiendas de último momento crearon la necesidad de nuevas aprobaciones del Senado y de la Cámara de Diputados.

En los Estados Unidos, la PMA no estaba satisfecha con los últimos ajustes del proyecto de ley, y el USTR todavía mantenía a Brasil en la "lista de observación", lo que significaba que continuaba la posibilidad de imponer nuevas sanciones a este país. La fecha límite que impuso el USTR para la aprobación de la ley brasileña sobre patentes fue diciembre de 1995. En Brasil, la impresión general fue que esta legislación se aproximaba bastante, pese a que no era enteramente acorde con las demandas norteamericanas.

Aunque se habían realizado progresos, la aprobación de una ley sobre patentes, por cierto, no solucionaría todos los problemas. Se ha reconocido que "(...) hay un problema pandémico de imposición inadecuada aún en los países que han aceptado la necesidad de una protección más eficaz de la propiedad intelectual".[76] Más aún, el hecho de que la controversia entre los Estados Unidos y Brasil sobre patentes podría concluirse finalmente, y que Washington y Brasilia están experimentando un momento prometedor, no son garantía contra nuevas demostraciones de unilateralismo agresivo por parte de los Estados Unidos contra Brasil.

Las políticas comerciales estadounidenses han generado nuevas áreas de interés y presión en los ámbitos multilateral y bilateral. Después de establecer como objetivo la ley de patentes de Brasil, losEstados Unidos podrían comenzar a usar la diplomacia coercitiva para imponer cambios en áreas tales como estándares laborales y legislación de protección del medio ambiente. Las conversaciones sobre el comercio hemisférico iniciadas a partir de la Cumbre Presidencial celebrada en Miami en diciembre de 1994 han generado una nueva agenda que podría muy bien evolucionar en esta dirección.

---

[76] Thomas Bayard y Kimberley Elliot (1994), p. 200.

5. CONCLUSIONES

Los tres casos analizados reflejan las diferentes dinámicas políticas que pueden producirse a partir del uso de prácticas coercitivas en las relaciones entre los Estados Unidos y América Latina. Después de analizar el desarrollo de estas dinámicas, ocho observaciones comparativas concluyen este ensayo.

1. La crisis de Haití inaugura la participación de la ONU en la intervención militar en América Latina. Esta intervención fue la última etapa de una serie de medidas coercitivas impuestas por la OEA, el Consejo de Seguridad de la ONU y los Estados Unidos.

2. Cuba, por otra parte, constituye un viejo dilema de la agenda norteamericana y es de hecho la única herencia de la Guerra Fría en la región. En años recientes, sin embargo, los desarrollos políticos internos han influido más que los asuntos internacionales en la configuración de las relaciones entre los Estados Unidos y Cuba.

3. Tanto en Haití como en Cuba se han superpuesto motivaciones políticas, sanciones económicas y cuestiones migratorias. Aunque justificadas por las condiciones políticas internas en ambos países, el uso de la coerción estuvo en ambos casos estimulado por intereses domésticos de los Estados Unidos.

4. La disputa entre Brasil y los Estados Unidos sobre patentes ilustra el uso de métodos de negociación coercitivos con propósitos estrictamente económicos. Además, la controversia entre ambos países sobre la legislación de propiedad intelectual muestra cómo un país poderoso como los Estados Unidos puede terminar ajustando sus expectativas a los tiempos impuestos por la política interna de un país más débil como Brasil.

5. En los tres casos, los Estados Unidos han enfrentado reacciones que han dilatado los plazos y motivado nuevas soluciones diplomáticas. En todos ellos, este proceso fue determinado por la interacción entre intereses internos y presiones externas que permitió que los países latinoamericanos resistieran las estrategias coercitivas.

6. En todos los casos, la estructura asimétrica de poder ha permitido a los Estados Unidos usar métodos coercitivos para obtener

otros objetivos diferentes de los públicamente declarados. En los casos de Haití y de Cuba, la restauración de un gobierno democrático no ha sido menos importante que la solución del problema migratorio. En el caso de Brasil, la aprobación de una ley de propiedad intelectual se tornó menos importante que la implementación de reformas económicas similares a las de sus vecinos.

7. La diplomacia coercitiva por sí sola no ha sido una herramienta eficaz en las relaciones de los Estados Unidos con América Latina. Su utilización ha sido un primer paso hacia el uso de la fuerza o ha conducido a un callejón sin salida, en el cual la única solución es retirarse. La experiencia haitiana ejemplifica la primera opción. Una vez que se imponen las sanciones, es casi imposible levantarlas, aun cuando no logren su objetivo, porque hacerlo es una pérdida de prestigio demasiado visible. De este modo, las sanciones llevan a situaciones agonizantes en las que el poder norteamericano es desafiado públicamente, la política norteamericana perjudica a la gente común del país, y no hay otro camino que el de comprometer a las tropas norteamericanas".[77]

8. Pese a que Haití y Cuba han fomentado el éxodo de refugiados hacia los Estados Unidos, el uso de la coerción ha conducido a diferentes resultados en cada caso. En Haití, el método coercitivo permitió que la intervención de Estados Unidos y de la ONU lograra restaurar el gobierno democrático. Sin embargo, en Cuba, la realidad interna cubana y las reacciones internacionales han minimizado los efectos de los métodos coercitivos. Este también ha sido el caso de Brasil donde la diplomacia coercitiva se ha tornado crecientemente ineficiente en obtener una legislación ajustada a las expectativas estadounidenses.

[77] George Fauriol (1995), p. 120.

BIBLIOGRAFÍA

Adler, Emanuel (1986), "Ideology guerrillas and the quest for tecnological autonomy: Brazil's domestic computer industry", *International Organization*, N.40, Summer.

Bayard, Thomas y Kimberly Elliott (1994), *Reciprocity and retaliation in US Trade Policy*, Washington: Institute for International Economics.

Boutros-Ghali, Boutros (1995), "Democracy: A newly recognized imperative", *Global Governance*, Vol. 1, N.1, Winter.

Craig, Gordon y Alexander George (1993), *Force and statecraft*, London: Oxford University Press.

Cuban Democracy Act (1992), Public Law 102-484 - 23/10/1992.

Domínguez, Jorge (1994), "Cuba in a New World", en Abraham Lowenthal y Gregory Treverton, eds., *Latin America in a new world*, Boulder: Westiew Press.

Domínguez, Jorge y Rafael Hernández, eds., (1991), *US-Cuban relations in the Ninties*, Boulder: Westview Press.

Elliott, Kimberly (1992), "Economic sanctions", en Peter Schraeder, ed., *Intervention in the 1990s*, Boulder: Lynne Rienner Publishers.

Evans, Peter (1986), "State, capital and the transformation of dependence: The Brazilian computer case", *World Development*, N. 14.

Evans, Peter; Harold Jacobson y Robert Putnam (1993), *Double-edged diplomacy*, Berkeley: Univ. of California Press.

Fauriol, George (1995), *Haitian frustrations. Dilemmas for US Policy*, Washington DC: The Center for Strategic and International Studies.

Freedman, Lawrence (1995), "Towards a theory of strategic coercion". Trabajo presentado en el Workshop on Coercive Diplomacy, King's College, London, June 7-9.

George, Alexander y William Simons, eds. (1994), *The limits of coercive diplomacy*, Boulder: Westview Press.

Gunn, Gilliam (1994), "Clinton y Castro: pragmatismo o parálisis", *Estudios Internacionales*, N. 107/108, julio-diciembre.

Hendrickson, David (1994), "The recovery of internationalism", *Foreign Affairs*, September/October.

Hirst, Monica y Carlos Rico (1993), "Latin America's Security Agenda", en Jayantha Dhanapala, ed., *Regional Approaches to Disarmament*, UNIDIR, Dartmounth.

Hirst, Monica y María Regina Soares de Lima (1994), "Between neo-alignment and neo-autonomy: Is there a third way in US-Brazilian Relations?". Trabajo presentado al Inter-American Dialogue, Washington DC, 3 de mayo.

Hufbauer, Gary; Jeffrey Schott y Kimberly Elliott (1990), *Economic sanctions reconsidered*, Washington: Institute of International Economics.

Huntington, Samuel (1991), *The third wave: democratization in the late twentieth century*, Oklahoma: University of Oklahoma.

IRELA(1994), "Cuba en crisis: proceso y perspectiva", *Dossier* N.50, Madrid: IRELA.

Kaplowits, Donna (1994), "El comercio a través de las filiales entre los Estados Unidos y Cuba: antes y después de la Cuban Democracy Act", *Estudios Internacionales*, N. 107/108, julio-diciembre.

Kirkpatrick, Jeanne (1995), "Clinton's pact with Cuba smells bad", *Diario las Américas*, Miami, 21/5/1995.

Martin, Lisa (1992), *Coercive cooperation*, Princeton: Princeton Univ. Press.

Odell, John (1993), "International threats and internal politics (Brazil, the European Community, and the United States, 1985-1987)", en Peter Evans, Harold Jacobson y Robert Putnam, *Double-edged diplomacy*, Berkeley: Univ. of California Press.

——————— (1990 a), "Politics of access to US Industrial Markets: fragmenting liberalism in the 80's", *Ensaio 2*, Rio de Janeiro: Pontificia Universidade Catolica.

Odell, John y Thomas Willet, eds., (1990 b), *International trade policies: gains from exchange between economics and political science*, Ann Arbor: Univ. of Michigan Press.

Pastor, Robert (1992), *Whirlpool-US Foreign Policy towards Latin America and the Caribbean*, Princeton: Princeton Univ. Press.

Perez-Stable, Marifeli (1993), *The Cuban revolution: origins, course and legacy*, London: Oxford University Press.

Seitenfus, Ricardo (1994), *Haiti*, Porto Alegre: Solivros.

Sell, Susan (1995), "Intellectual property protection and antitrust in the developing world: crisis, coercion, and choice", *International Organization*, N. 49, Spring.

Smith, Wayne (1994), "Cuba después de la Guerra Fría: ¿Cuál debería ser la política de los Estados Unidos?", *Estudios Internacionales*, N. 107/108, julio-diciembre, 1994

Suárez Salazar, Luis (1994), "Cuba: la política exterior en el período especial", *Estudios Internacionales*, N. 107/108, julio-diciembre.

Suchlicki, Jaime (1993), *Cuba: from Columbus to Castro*, Pergamon-Brassey's International Defense Publishers.

Tachinardi, Maria Helena (1993), *A Guerra das Patentes*, Rio de Janeiro: Paz & Terra.

Tokatlian, Juan Carlos (1984), *Cuba - Estados Unidos. Dos enfoques*, Bogotá: CERC y Grupo Editor Latinoamericano.

CAPÍTULO III

EL PROCESO DE INTEGRACIÓN EN AMÉRICA LATINA: DESARROLLOS RECIENTES*

1. INTRODUCCIÓN

El *boom* de acuerdos regionales de comercio registrado en los últimos años se ha transformado en un importante aspecto de las políticas de liberalización económica implementadas por los países latinoamericanos desde mediados de los ochenta. A pesar de que la integración económica constituye un tema con importantes antecedentes en las relaciones intra-latinoamericanas, su vigor actual está relacionado con los nuevos condicionantes regionales y extra-regionales. Se observa un conjunto de negociaciones que apuntan a la integración y/o cooperación entre grupos reducidos de países que refuerzan, al mismo tiempo, un impulso asociativo y una orientación selectiva. A pesar de su carácter fragmentado, se

* La primera versión de este trabajo fue publicado en la revista Politica Internazionale, bajo el título "Processi de Integrazione e di Framentazionne", (IPALMO: Roma), N. 6, 1991. Una segunda versión ampliada –con la colaboración de María Luisa Streb– fue publicada por CEDEAL y titulada "Una breve caracterización de la reactivación de los procesos de integración en América Latina", (CEDEAL: Madrid), 1993. En esta última versión colaboró Marcela García Torres.

trata de un único proceso en el cual se ha reactivado el instrumento de la integración regional, ajustado a las tendencias globalizantes del sistema económico internacional contemporáneo.

Este proceso forma parte de un esfuerzo generalizado de articulación con los recientes cambios en el sistema económico mundial, a saber: la globalización, que se expresa a través de la profundización de la internacionalización de las economías nacionales, y la regionalización, ligada a la consolidación de tres grandes bloques geoeconómicos.

En términos políticos, el nuevo impulso integracionista en América Latina coincidió con una renovación generalizada de los gobiernos de los países de la región durante fines de los ochenta y principios de los noventa.[1] A partir de entonces, los gobiernos pasaron a dar gran importancia al tema de la integración, otorgándole un sentido estratégico para la reactivación de los vínculos económicos externos. La mayor interdependencia regional pasó a ser percibida como un medio para el fortalecimiento de las condiciones de inserción en una economía mundial crecientemente interconectada.

En este capítulo se presenta un cuadro general del proceso de integración en América Latina, dividido en tres secciones. En la primera sección se describe brevemente este proceso, destacando el contexto económico y/o político en que se ha desarrollado y se comparan las motivaciones que han impulsado las distintas iniciativas de asociación económica en la región. En la segunda sección se analizan los acuerdos económicos regionales vigentes, enfocándose la evolución reciente de cada uno. Por último, a modo de conclusión se evalúan las principales tendencias y los desafíos que se plantean en el corto y mediano plazo para su continuidad.

---

[1] Durante fines de los años ochenta y la primera mitad de los noventa se produjeron los siguientes cambios de gobierno en América Latina. MERCOSUR: la Argentina en 1989 y 1995; Brasil en 1990 y 1995; Paraguay en 1989 y 1993; Uruguay en 1990 y 1995; Grupo Andino: Bolivia en 1989 y 1993; Colombia en 1990 y 1994; Ecuador en 1988 y 1992; Perú en 1990 y 1995; Venezuela en 1989 y 1994; Mercado Común Centroamericano: Costa Rica en 1990 y 1994; El Salvador en 1989 y 1994; Guatemala en 1993; Honduras en 1989 y 1993; Nicaragua en 1990; Panamá en 1990 y 1994. También hubo cambios de gobierno en México en 1988 y 1994, y en Chile en 1990 y 1994.

2. Una breve caracterización

Las asociaciones minilaterales constituyen el tipo de integración más dinámico en América Latina en la actualidad. Estas asociaciones han sido motivadas por nuevos intereses regionales y están insertas en contextos políticos y económicos similares. En todos los casos se observan cinco características principales.

1. Los acuerdos preferenciales de comercio fueron acompañados –o precedidos– por políticas de liberalización unilaterales que implicaron reducciones sustanciales de tarifas y barreras no arancelarias. De este modo, se pasó del clásico modelo sustitutivo de importaciones a la apertura comercial necesaria para el funcionamiento de economías de mercado. La asociación entre integración regional y apertura económica dio origen al difundido concepto de "regionalismo abierto". Desde el punto de vista político, la utilización de este concepto buscó diferenciar la nueva etapa integracionista en América Latina de los viejos y frustrados esquemas regionales de naturaleza proteccionista. Para los gobiernos latinoamericanos se tornó necesario dejar en claro que no había incompatibilidad entre los nuevos acuerdos regionales y las premisas liberales que apoyaban en el ámbito del sistema de comercio multilateral.[2]

2. El creciente interés latinoamericano por profundizar los acuerdos comerciales regionales también se vio reforzado por las expectativas económicas positivas generadas en la región. En este sentido, el PBI de América Latina se incrementó en un 3.6% duran-

---

[2] De acuerdo con el secretario de la CEPAL: "Lo que diferencia al regionalismo abierto de la apertura y de la promoción no discriminatoria de las exportaciones es que comprende un ingrediente preferencial, reflejado en los acuerdos de integración y reforzado por la cercanía geográfica y la afinidad cultural de los países de la región. Se pretende conciliar la mejor inserción internacional con la profundización de nexos de interdependencia entre los países de la región. Con todo, de no producirse ese escenario óptimo, el regionalismo abierto de todas maneras cumpliría una función importante, en este caso como un mecanismo de defensa de los efectos de eventuales presiones proteccionistas en mercados extrarregionales y como un avance parcial, hacia el interior de la región, del tipo de relación que se persigue a nivel planetario". Ver Gert Rosenthal (1995). Ver también Andrew Hugh Hallett y Carlos Primo Braga (1994).

te el período 1991-1994, luego de tres años de estancamiento.[3] Según datos de la CEPAL, el PBI de la región aumentó en 3.6% en 1991, 3.1% en 1992, 3.3% en 1993 y 4.5% en 1994, la cifra más alta desde 1980.[4]

Por otra parte, las políticas de estabilización lograron atenuar y en algunos casos reducir significativamente las tasas de inflación en la región. Por ejemplo, entre agosto de 1994 y agosto de 1995, la tasa media de inflación de la región logró el nivel más bajo de los últimos 25 años al disminuir de 1.120% a 25%. Esto se debe en gran medida a la caída de la inflación media en Brasil, que pasó de 930% a 26% y a la baja inflación de países como la Argentina, Bolivia, Chile, Guatemala, Nicaragua y Panamá que han tenido alzas de precios de un solo dígito en dicho período.[5]

También se registraron cambios importantes en el comercio exterior de la región. Desde 1990 las importaciones crecieron a un ritmo notoriamente superior al de las exportaciones, presentándose déficits comerciales que fueron en parte compensados por el importante flujo de capitales externos que ingresaron a la región.[6] En 1994 el valor de las importaciones de bienes de la región aumentó 17%, alcanzando 196.000 millones de dólares, como consecuencia del crecimiento económico, la liberalización de las importaciones, la caída del tipo de cambio real en algunos países y la disponibilidad de divisas producto de la entrada de capitales en la región. Los países que vieron aumentar sus importaciones a un ritmo elevado fueron la Argentina, Brasil, Colombia, Ecuador, El Salvador, México, Perú y Uruguay, con aumentos entre el 18% y el 39%.

---

[3] Debido en gran medida a la crisis mexicana y su efecto sobre otros países como la Argentina, se calcula que el crecimiento del PBI para 1995 será inferior a 2%.

[4] Ver CEPAL (1995 a).

[5] Contrariamente a esta tendencia, la tasa de inflación en México se incrementó de 7% a 42% entre agosto de 1994 y agosto de 1995, debido fundamentalmente a la devaluación del peso a partir de diciembre de 1994. Ver CEPAL (1995 a).

[6] Las tasas de variación del valor de las importaciones de América Latina fueron de 13% en 1990, 18.3% en 1991, 22.9% en 1992, 8.9% en 1993 y 17% en 1994, mientras que las tasas de las exportaciones fueron de 9.7% en 1990, -0.8% en 1991, 5.3% en 1992, 5.4% en 1993 y 15.4% en 1994. De esta forma, el superávit de 13.000 millones de dólares en 1991 se transformó en un déficit de 5.600 millones en 1992, 10.300 en 1993 y 14.700 en 1994. Ver CEPAL (1995 d).

Sin embargo, en ese mismo año, aun cuando las importaciones siguieron creciendo con mayor rapidez que las exportaciones, el valor de las exportaciones creció de manera apreciable a un ritmo del 15%, como consecuencia no sólo del dinamismo del comercio intra-regional sino también de la recuperación de los mercados mundiales, el alza de los precios de los productos básicos y la diversificación del sector exportador de la región.[7] Luego de un largo período signado por la caída de los precios de los productos básicos, esta tendencia comenzó a revertirse en 1993 y el índice de los precios en dólares de las exportaciones de dichos productos, exceptuando los combustibles, aumentó el 17% en 1994.[8]

De cualquier manera la región siguió registrando en 1994 un persistente déficit en el comercio de bienes que alcanzó 14.700 millones de dólares (lo que implica un incremento del déficit del 43%) y también en la cuenta corriente, debido no sólo al déficit comercial sino también al aumento de los pagos netos por intereses y utilidades.[9]

Por su parte, el comercio intrazona sufrió una retracción durante la década pasada, en gran medida, debido a la recesión económica producida por la crisis de la deuda externa. Esta retracción fue bastante más acentuada en la primera parte de la década que en la segunda mitad de los años ochenta. Por el contrario, durante el período 1990-1994 las exportaciones intrazona se incrementa-

[7] Para un análisis del comercio exterior de la región, ver Naciones Unidas (1995), CEPAL (1995 a) y UNCTAD (1995).

[8] Los precios reales de los productos básicos en comparación con los de los productos manufacturados han evolucionado desfavorablemente en los últimos 20 años, con el perjuicio que ello conlleva para los países latinoamericanos. Sin embargo, en 1994 los precios de estos productos se han elevado –aunque sin alcanzar los niveles de 1975 y 1976– logrando alzas significativas los precios del café, el plomo, el algodón, la lana, el cacao, el cobre y el azúcar. En este sentido, el aumento del precio del café benefició a los países centroamericanos, Brasil y Colombia; el alza de los metales favoreció a Chile y Perú, mientras que el de la celulosa y la lana benefició a Chile y Uruguay, respectivamente. Ver CEPAL (1995 d).

[9] El aumento de los intereses de la deuda externa se produjo, en parte, por el alza de las tasas de interés internacionales en dólares. Sin embargo, por cuarto año consecutivo, la región recibió un considerable flujo de capitales equivalente a 43.000 millones de dólares. Ver CEPAL (1995 d).

ron de 13% a 17% del total, estimuladas por el aumento de las transacciones intra-MERCOSUR e intra-Grupo Andino y, en particular, por el intercambio bilateral Argentina-Brasil y Colombia-Venezuela.

Se observa que las exportaciones intra-ALADI aumentaron del 10.9% del total en 1990 al 19,5 % en 1994, las exportaciones intra-MERCOSUR aumentaron del 8.8 % del total en 1990 al 19,2% en 1994, las exportaciones intra-Grupo Andino aumentaron del 4.2 % del total en 1990 al 10% en 1994 (cuadro 2), las exportaciones intra-CARICOM aumentaron del 11.2 % del total en 1990 al 15.1% en 1994 (cuadro 5) y las exportaciones intra-Centroamérica (incluyendo a Panamá) aumentaron del 16.6 % del total en 1990 al 22.8% en 1994.[10]

3. La proliferación de las asociaciones económicas intra-latinoamericanas fue acompañada por la revisión de las estrategias internacionales de los países de la región, producto de cambios conceptuales y de contenido en las respectivas políticas exteriores. Las estrategias "autonomistas" promovidas en el pasado en forma continuada por países como Brasil y México y en forma intermitente por países como la Argentina, Colombia, Venezuela y Chile han sido sustituidas por políticas de corte pragmático en las que disminuye el perfil político de las respectivas agendas internacionales. Su objetivo ha sido, fundamentalmente, reducir la marginación frente a los procesos económicos globales y evitar críticas en el tratamiento de temas de seguridad internacional.

En el ámbito de las relaciones intra-regionales se observa una clara preferencia por negociaciones destinadas a la cooperación y/o integración económica en lugar de la concertación política.

Difundida durante los años ochenta primero con el Grupo de Contadora y el Grupo de Apoyo y, después, con el Grupo de los Ocho y el Grupo de Río, la coordinación política regional ha adquirido actualmente un bajo perfil. Esta desmovilización política está relacionada con el fin de la Guerra Fría y las indefiniciones que todavía dominan el sistema político internacional. Mientras que algunos países de la región desarrollan sus políticas exteriores desde la

---

[10] Para un análisis del comercio intra-latinoamericano, ver BID (1995).

hipótesis de la existencia de un orden unipolar, otros operan desde el supuesto de que la multipolaridad económica será reforzada por la multipolaridad política. Como ya fue analizado en el primer capítulo de este libro, esta diferencia ha dificultado la concertación política regional en torno de los nuevos temas de la agenda global (narcotráfico, migraciones, medio ambiente, transferencia de tecnología sensible, etcétera).

El pragmatismo de las políticas exteriores latinoamericanas no se ha reflejado solamente en los temas económicos. El reducido interés por la concertación política regional en torno de temas globales ha sido compensado por una mayor predisposición hacia la solución de problemas concretos de la agenda subregional. Casi todos los gobiernos de la región han demostrado interés en mejorar sus relaciones en el nivel subregional a través de la superación de antiguas controversias con países vecinos.[11] Además de negociaciones limítrofes, comerciales y administrativas, se deben destacar las medidas de confianza mutua negociadas en el campo de la tecnología sensible.[12] Estos acercamientos han generado beneficios múltiples, fundamentalmente en dos áreas específicas: la mejora del sistema de transportes y comunicaciones y el desarrollo de una interdependencia energética.[13]

Asimismo, existe una reactivación de los comités de frontera, que, más que preocuparse con los problemas de demarcación territorial, tratan temas relacionados con la ocupación de tierras, los movimientos migratorios, la protección del medio ambiente, el co-

[11] Pueden mencionarse, entre otras, las negociaciones entre Chile y la Argentina por Laguna del Desierto en 1991, entre la Argentina y Uruguay por la canalización y balizamiento de los canales a Martín García en 1991, y entre Venezuela y Colombia por la delimitación del Golfo de Maracaibo aún no concluida.

[12] Los progresos más significativos en este caso fueron los realizados por la Argentina y Brasil en el campo nuclear, que culminaron en 1990 con la firma de un acuerdo de salvaguardias mutuas con la supervisión de la Agencia Internacional para la Energía Atómica (AIEA). También se debe citar la firma en septiembre de 1991 del "Compromiso de Mendoza" entre los cancilleres de la Argentina, Brasil y Chile, que prohíbe el desarrollo, la producción y el uso de armas químicas y biológicas.

[13] Deben destacarse los proyectos de construcción de la Hidrovía Paraná-Paraguay que incluye a la Argentina, Bolivia, Brasil, Paraguay y Uruguay y el gasoducto Argentina-Chile.

mercio ilícito y los efectos políticos de la integración. Una consecuencia importante de este proceso ha sido la movilización política y económica de los gobiernos de las provincias fronterizas, las que han procurado ampliar sus márgenes de autonomía y su capacidad de presión frente al poder central en la negociación de los acuerdos comerciales regionales. Esta nueva realidad se ve doblemente favorecida: por la menor influencia de las hipótesis de conflicto regionales predominantes durante el período de regímenes militares, y por los intereses de los sectores económicos que incorporan crecientemente una perspectiva regional en la planificación de sus estrategias productivas.

De hecho, las iniciativas de cooperación y/o integración regional se han convertido en una de las áreas más activas de las políticas exteriores latinoamericanas. Las negociaciones comerciales regionales se han conducido a través de entendimientos intergubernamentales sustentados por la diplomacia económica y por un interés creciente por parte de los sectores empresarios. Los empresarios, por su parte, por primera vez aceptan y se interesan por una participación positiva en este tipo de iniciativas, introduciendo un componente competitivo crucial para su dinamización. Los nuevos regímenes de comercio exterior volvieron inoperantes, tanto para diplomáticos como para empresarios, las posiciones defensivas que en el pasado obstaculizaron la implementación de compromisos de reducciones tarifarias.

4. El proceso de integración de América Latina actualmente no dispone de un "paraguas" institucional que articule coherentemente las diferentes negociaciones en curso. A diferencia de lo que sucedía en los años sesenta, cuando la CEPAL cumplía un rol político-ideológico y la ALALC un rol operativo, en el presente este proceso corresponde a una sumatoria de iniciativas intergubernamentales. Este hecho dificulta un mayor protagonismo por parte de las organizaciones regionales, tales como la CEPAL, el SELA, la ALADI y el Grupo de Río. Por un lado, se evitan frustraciones ya conocidas derivadas de una excesiva burocratización y una retórica alejada de la realidad. Por el otro, sin embargo, aumentan las posibilidades de que este proceso mantenga un perfil fragmentado.

La ALADI se ha propuesto recuperar su rol protagónico, proveyendo un marco institucional que facilite la confluencia de las distintas iniciativas subregionales con el fin de avanzar hacia la conformación del Mercado Común Latinoamericano. También fueron iniciados estudios en el ámbito del BID, la OEA y la CEPAL, tendientes a analizar el proceso de convergencia de los acuerdos existentes. No obstante, estas iniciativas no han logrado superar el carácter fragmentado de la integración regional.

5. Hasta el presente, dos referentes extra-regionales –el NAFTA y la Unión Europea– ejercen influencia sobre los procesos de integración en América Latina. Si bien el gobierno norteamericano ejerció presiones para que los países latinoamericanos pusieran en marcha reformas económicas y políticas de liberalización comercial, su actuación durante la década pasada fue discreta frente a las negociaciones comerciales regionales. Una relativa indiferencia inicial fue poco a poco reemplazada por una agenda positiva en la cual se profundizó el interés por los acuerdos de integración regional.

Con la conclusión de las negociaciones del NAFTA y la realización de la Cumbre de las Américas en Miami en diciembre de 1994 este interés se convirtió en un proceso de negociación gradual. En la Cumbre de Miami se manifestó la voluntad de establecer un Área de Libre Comercio de las Américas (ALCA) en el año 2005, para lo cual se fijaron dos reuniones de Ministros de Comercio para junio de 1995 y marzo de 1996. La declaración conjunta de la Cumbre de las Américas determinó que "la creación del ALCA se basará en los acuerdos subregionales y bilaterales existentes". Hubo un primer avance cuando en la Cumbre de Denver en junio de 1995 se decidió establecer grupos de trabajo con el objetivo de preparar las bases de las negociaciones.[14] Al menos en

---

[14] Los grupos de trabajo creados en Denver tratan de los siguientes temas: acceso al mercado, derechos de aduana y reglas de origen, inversión, normas y barreras técnicas al comercio, medidas sanitarias y fitosanitarias, subsidios, derechos *antidumping* y compensatorios, y economías más pequeñas. También está prevista la formación de grupos que tratarán los temas sobre los cuales será más difícil llegar a un acuerdo: derechos de propiedad intelectual, servicios, adquisiciones del gobierno y políticas sobre competencia.

términos políticos se descartó la idea de que estos procesos de integración hemisférica y subregional serían excluyentes, lo que podría considerarse como un incentivo para profundizar dichos acuerdos.

La conformación de un área de libre comercio hemisférica se basa en la superioridad de esta opción *vis-à-vis* un sistema del tipo "hub-and-spoke" (eje y rayo). En un sistema de "hub-and-spoke", los flujos de comercio circulan más libremente entre el eje y cada rayo que entre los rayos. Incluso el comercio entre los rayos puede verse perjudicado debido a la discriminación que los mismos deben enfrentar en los mercados de los otros rayos en competencia con el centro. Los rayos también tienen desventaja en la competencia por los flujos de capital con el eje, porque es el único que goza de libre acceso a los insumos y a todos los mercados del sistema. De esta forma, estos sistemas tienden a distorsionar los patrones de comercio, de inversión extranjera y aumentar los costos administrativos y de transporte. Otro riesgo es que el país eje moldee los acuerdos para obtener mayores beneficios.[15]

La constitución del ALCA deberá enfrentar varios tipos de desafíos. Desde el punto de vista técnico, existen dificultades para lograr la confluencia de los distintos acuerdos, debido a las distintas estructuras arancelarias, reglas de origen, productos sensibles, políticas macroeconómicas y sectoriales. También es cierto que este proceso de integración hemisférica necesitará de un alto grado de voluntad política para ser concretado. En este sentido la nueva conformación del Congreso de Estados Unidos y el impacto de la crisis mexicana podrían reducir el apoyo norteamericano al proceso de integración hemisférica en el corto y el mediano plazo. Por otro lado, sería arriesgado negociar con Estados Unidos sin que la Casa Blanca goce de "fast track", pues el acuerdo alcanzado podría llegar a ser modificado o condicionado luego por el Congreso.[16]

---

[15] Para un análisis de las características de los sistemas "hub-and-spoke", ver especialmente Ronald Wonnacott (1995); y también el informe realizado por la Secretaría de la OMC/WTO (1995).

[16] Sobre la importancia del "fast track" para negociar con los Estados Unidos, ver Rubens Ricupero (1995).

Otro aspecto importante a tener en cuenta tiene que ver con el modo en que dicho proceso se lleve a cabo. En este sentido, el mismo podría producirse tanto mediante la anexión sucesiva de los distintos países al NAFTA como por una previa confluencia de los países de América del Sur en una zona de libre comercio que luego negociaría con el NAFTA. Los distintos caminos elegidos seguramente afectarán el resultado último. De esta forma, los países latinoamericanos deberán evaluar no sólo los costos y beneficios de la integración hemisférica sino también aquellos referidos al proceso mediante el cual se arribará a esta integración.

La Unión Europea, por su parte, ha revelado un creciente interés político y económico por las experiencias de integración en marcha en América Latina. Por un lado, estas experiencias representan una oportunidad para dar proyección política a la propia experiencia comunitaria europea y por otro, para apoyar los procesos de estabilidad económica y política en la región.[17] Asimismo, ellas también abren una nueva oportunidad para facilitar las inversiones europeas en toda la región.

Las relaciones comerciales de América Latina con la UE se han basado principalmente en dos mecanismos de acceso preferencial al mercado comunitario: las Convenciones de Lomé y el Sistema Generalizado de Preferencias (SGP). En 1990 el 16% de las exportaciones totales latinoamericanas a la Comunidad se beneficiaron con el SGP.[18] Dentro del marco del SGP, algunos países como los andinos y los centroamericanos, gozan de tratamiento especial. Con el objetivo de colaborar en el combate al narcotráfico, la CE otorgó a los países andinos exención arancelaria para productos agrícolas que generalmente se encuentran fuera del SGP, como té, cacao y café no procesado. Para contrarrestar los efectos negativos que podrían conllevar las concesiones a los países andinos, la UE otorgó a los países del MCCA libre acceso para la mayor parte de

---

[17] En las reuniones del Consejo Europeo en Corfú, Grecia, en junio de 1994, y en Essen, Alemania, en diciembre del mismo año, se reafirmó el interés de la UE en reforzar las relaciones con los países latinoamericanos y con los bloques subregionales. Ver CELARE (1995).

[18] El impacto real del SPG se encuentra limitado por la existencia de barreras no arancelarias (BNA) y por los mayores aranceles SPG que deben pagar los bienes procesados. Ver IRELA (1993).

los productos agrícolas y pesqueros, con la excepción de las bananas.[19]

Por medio de las Convenciones de Lomé los países caribeños gozan de acceso prácticamente libre para las manufacturas y de una amplia gama de preferencias para los productos agrícolas tropicales. Por otro lado, estos países se benefician aún con el sistema STABEX que los protege de las fluctuaciones de ingresos debido a la caída de los precios internacionales de productos agrícolas.

Las relaciones políticas y económicas de la UE con los países latinoamericanos se desarrollan a través de un conjunto de acuerdos y entendimientos. Entre ellos se destacan: la cooperación entre la UE y el Grupo de Río, que ha derivado en un programa de apoyo técnico a los procesos regionales de integración; un acuerdo de cooperación con el Grupo Andino firmado en 1983 y renovado en abril de 1993; un Acuerdo Marco de Cooperación firmado con México y Chile en 1991; los programas de cooperación económica, tales como AL-INVEST, BC-Net y el programa European Community Investment Partners, que fomenta el desarrollo de empresas conjuntas; y acuerdos de cooperación firmados con los países centroamericanos.

Los países del Caribe, además de gozar de acceso preferencial al mercado europeo como resultado de las Convenciones de Lomé, se benefician de importantes programas de cooperación con el apoyo del Fondo Europeo de Desarrollo.[20] Se deberá también mencionar los acuerdos negociados con México, Chile y MERCOSUR llamados "acuerdos de tercera generación".[21]

---

[19] El principal problema que ha perjudicado a las exportaciones de bananas de los países centroamericanos ha sido la preferencia de los distintos países europeos por las producciones provenientes de sus territorios de ultramar (como Martinica, Guadalupe, Islas Canarias y Madeira). Por su lado, Grecia privilegia la producción de Creta; el Reino Unido brinda garantías similares a los Estados caribeños angloparlantes, e Italia y Francia a los productores africanos. Ver IRELA (1993).

[20] Para un análisis de las relaciones políticas y económicas de la UE con los países latinoamericanos, ver CELARE (1995), e IRELA (1993).

[21] Los acuerdos de tercera generación incluyen diversas áreas de cooperación tales como la económica, industrial, financiera, normativa, comercial, científica, tecnológica, ambiental, energética, de transporte y de turismo.

En el período reciente, las negociaciones más significativas entre América Latina y la UE han sido las que se vienen concretando con el MERCOSUR con vistas a la firma de un acuerdo inter-regional. El 22 de diciembre de 1994, la UE y el MERCOSUR firmaron la Declaración Conjunta Solemne, por medio de la cual las partes manifestaban compartir un gran interés en una estrategia cuyo objetivo final sería una asociación inter-regional económica y política, la cual se propondría alcanzar una cooperación política más estrecha, incluyendo un mecanismo de consulta, como también la liberalización recíproca de todo el comercio –teniendo en cuenta la sensibilidad de ciertos productos y de acuerdo con las reglas de la OMC (Organización Mundial de Comercio)– y la promoción de las inversiones.

Con tal fin el 15 de diciembre de 1995 se firmó el Acuerdo Marco de Cooperación Económica y Comercial bajo el cual se negociará el Acuerdo de Asociación Inter-regional. El compromiso asumido fue crear un Consejo de Cooperación Institucional, la Comisión Mixta y la Comisión de Comercio que deberá encargarse de la liberalización comercial.

Desde el punto de vista europeo, el mayor obstáculo se presenta en el sector agrícola que, bajo las normas de la OMC, no podría quedar totalmente excluido. Estudios conducidos por los miembros del MERCOSUR muestran que el 16% de las exportaciones del MERCOSUR a la UE consisten en productos que son "sensibles", sujetos a la PAC. En el caso del MERCOSUR, algunos productos industriales y servicios serían también sensibles a la competencia europea. Para los países del MERCOSUR el principal objetivo de este acuerdo será asegurarse el acceso al mercado europeo que absorbe casi el 30% de sus exportaciones mientras que para la UE su objetivo principal será asegurar el acceso a los mercados emergentes de América Latina.[22]

---

[22] Para un análisis de las relaciones entre el MERCOSUR y la UE, ver IRELA (1995); y los trabajos y documentos preparados conjuntamente por la Comisión Europea y las delegaciones de los países miembros del MERCOSUR en Bruselas.

3. Un relevamiento general

A continuación se analizan las iniciativas de integración regional y subregional impulsadas por los países de América Latina, destacándose sus metas y logros más recientes. Como se podrá observar, en casi todos los casos se superponen la dimensión económica y la política. En el siguiente análisis también se incluyó al NAFTA por su enorme impacto sobre los procesos de integración en América Latina.

3.1. Asociación Latinoamericana de Integración (ALADI)

A pesar de ser la asociación de comercio regional más importante de América Latina, su protagonismo ha sido limitado en las recientes iniciativas de integración económica. Paradójicamente, fue la misma ALADI la que estimuló la realización de entendimientos comerciales selectivos entre sus países miembros.

El principal instrumento utilizado para estimular el comercio intrazona de ALADI fue el mecanismo denominado Preferencia Arancelaria Regional (PAR). Los países miembros se comprometían mediante este mecanismo a otorgarse rebajas mutuas sobre el arancel aplicado a terceros países que, partiendo de un nivel de 5% en 1984, fue incrementándose hasta un 10% en 1987 y, finalmente, un 20% en 1990. Estas preferencias contemplaban la situación especial de los "países de menor desarrollo relativo" que reciben una mayor concesión de los países más desarrollados del área y a su vez les otorgan una rebaja menor. La creación de este mecanismo generó la expectativa de establecer una zona de libre comercio una vez que las rebajas alcanzasen un 100%.

En la práctica, las listas de excepciones son muy extensas e incluyen productos potencialmente comercializables en el nivel inter-regional, los márgenes preferenciales –especialmente para los países de igual desarrollo– son reducidos y la supuesta multilateralización de los acuerdos de alcance parcial no se ha cumplido. Frente a esta realidad, en las sucesivas Reuniones del Consejo de Ministros se resolvió que la ALADI debería proveer un marco institucional para facilitar la confluencia de las distintas iniciativas subregionales, parciales y bilaterales, con el fin de avanzar hacia la conformación del Mercado Común Latinoamericano –objetivo último del Tratado de Montevideo de 1980– para evitar de esta forma la fragmentación y fortalecer la capacidad de negociación externa de toda la región.[23] Con este fin se iniciaron estudios de los diferentes acuerdos subregionales y bilaterales para establecer pautas de convergencia y se ha decidido simplificar y racionalizar el marco normativo para la regulación del intercambio.[24]

Sin embargo no se han fijado plazos ni mecanismos que lleven al establecimiento del Mercado Común Latinoamericano de forma sistemática. Entretanto, los países latinoamericanos han demostrado una clara preferencia por negociaciones bilaterales y minilaterales directas y selectivas, las que en algunos casos han incluido Acuerdos de Complementación Económica negociados en el ámbito de la ALADI.[25] Esta preferencia, sumada a la disparidad de resultados de los acuerdos subregionales de comercio y a la intención de algunos miembros de efectuar acuerdos con países no miembros han impedido que este órgano asuma un rol coordinador frente a las múltiples iniciativas de integración subregional actualmente en marcha en América Latina.[26] De cualquier manera se debe recono-

---

[23] Las distintas Reuniones del Consejo de Ministros han intentado llevarse a cabo conjuntamente con las cumbres Presidenciales del Grupo Río (conformado por todos los integrantes de la ALADI, más un representante de los países del Caribe y otro de Centroamérica), por lo que la ALADI fue asumiendo el rol de órgano ejecutor del Grupo Río en lo que respecta a temas de cooperación e integración regional. Para un estudio más detallado sobre el desempeño reciente de la ALADI, ver BID (1995), CEPAL (1995 b).

[24] Existen dos visiones acerca de la forma de llegar a la integración regional en el ámbito de la ALADI. Por un lado, están los que promueven la integración mediante la paulatina negociación entre los distintos países sobre la base de los acuerdos ya existentes y, por otro lado, quienes favorecen la opción de negociaciones simultáneas entre los 11 países miembros, con el objetivo de establecer un cronograma específico de liberalización. Ver Rubens Ricupero (1995).

[25] A diferencia de los antiguos acuerdos de la ALADI cuyo rasgo principal consistía en listas positivas de productos con rebajas arancelarias o eliminación de trabas al intercambio, los acuerdos de complementación económica, generalmente abarcan el universo de productos en un sistema de desgravación automática y lineal, con listas de excepciones.

[26] Con respecto a la compatibilidad de la membrecía de México en el NAFTA y en la ALADI, México decidió no hacer extensivas a los miembros de la ALADI las concesiones otorgadas a sus socios del NAFTA, tal como exige el artículo 44 del Tratado de Montevideo de ALADI, pero compensaría con otras concesiones a los países afectados. En la misma situación se encontrará Chile si se incorporara al NAFTA.

cer que el aumento substancial del comercio intra-ALADI en los últimos años constituye un estímulo a las negociaciones de acuerdos
minilaterales en la región (ver cuadros 1, 2 y 3).

Al mismo tiempo, la permanencia de la ALADI como un órgano regional que fija las normas de procedimiento y ofrece las pautas reglamentarias del comercio intra-regional de una comunidad
de 11 países latinoamericanos tiene significado político *per se*. Se
trata del único instrumento institucional de que dispone América
Latina para establecer reglas mínimas de convivencia entre las diversas iniciativas de asociación y que –aún cuando puede llegar a
adoptar decisiones discrecionales, como en el caso de México–
constituye un parámetro funcional.

CUADRO 1

INDICADORES BÁSICOS DE LOS PAÍSES-MIEMBROS DE ALADI (1994)

Países	Población (miles)	Superficie (miles de km^2)	PBI (millones de u$s)	PBI per cápita (millones de u$s)	Coeficiente de apertura externa (1)
Argentina	34.180	2.767	232.144	6.792	15,4
Bolivia	7.238	1.099	9.042	1.249	23,3
Brasil	159.147	8.512	446.690	2.807	17,2
Colombia	34.546	1.139	55.926	1.619	34,8
Chile	13.994	757	47.000	3.359	47,9
Ecuador	11.221	284	14.513	1.293	48,2
México	89.571	1.958	297.928	3.326	43,6
Paraguay	4.830	407	7.435	1.539	61,8
Perú	23.333	1.285	50.347	2.158	20,1
Uruguay	3.168	177	12.809	4.043	35,1
Venezuela	21.377	912	50.965	2.384	45,9
MERCOSUR	201.325	11.863	699.078	3.472	17,4
Grupo Andino	97.715	4.719	180.793	1.850	34,3
ALADI	402.605	19.297	1.224.799	3.042	27,4

(1) (X-M)/PBI x 100, calculado sobre la base de datos de 1994.
Fuente: Elaboración propia sobre la base de datos de CEPAL (1994c) y BID (1995).

CUADRO 2

COMERCIO INTRA-REGIONAL Y GLOBAL ENTRE LOS PAÍSES DE LA ALADI (1994)
(% DE LAS EXPORTACIONES TOTALES)

DE/HACIA	ARGENTINA	BOLIVIA	BRASIL	COLOMBIA	CHILE	ECUADOR	MÉXICO	PARAGUAY	PERÚ	URUGUAY	VENEZUELA	MERCO-SUR	GRUPO ANDINO	ALADI	MUNDO*
ARGENTINA	-	1,22	23,22	0,78	6,35	0,42	1,74	3,17	1,83	4,13	1,34	30,52	5,60	44,20	15.739
BOLIVIA	12,84	-	2,99	5,29	1,65	1,28	1,16	0,08	10,67	0,42	0,12	16,34	17,36	36,51	1.124
BRASIL	9,49	1,08	-	0,92	2,29	0,63	2,41	2,42	0,80	1,68	0,65	13,59	4,07	22,37	43.558
COLOMBIA	0,81	0,27	0,69	-	1,39	3,78	1,29	0,02	2,77	0,04	6,38	1,55	13,20	17,44	8.408
CHILE	5,60	1,51	5,32	1,03	-	0,73	1,87	0,51	2,90	0,47	0,64	11,89	6,80	20,56	11.369
ECUADOR	1,83	0,07	0,19	5,93	4,43	-	2,05	0,04	4,17	0,01	0,21	2,08	10,38	18,93	3.717
MÉXICO	0,71	0,04	1,08	0,90	0,59	0,31	-	0,03	0,32	0,13	0,49	1,95	2,06	4,60	35.186
PARAGUAY	8,19	0,21	32,31	0,16	8,64	0,06	0,49	-	0,52	1,18	0,15	41,68	1,09	51,91	816
PERÚ	0,52	1,52	4,17	2,28	1,98	1,39	3,47	0,03	-	0,07	1,93	4,79	7,11	17,35	4.362
URUGUAY	19,56	0,10	25,61	0,65	2,15	0,08	2,43	1,26	1,17	-	0,12	46,43	2,13	53,14	1.918
VENEZUELA	0,21	0,01	3,43	7,16	0,62	0,89	1,51	0,01	0,59	0,07	-	3,72	8,64	14,49	16.511
MERCOSUR	7,38	1,07	7,11	0,87	3,40	0,55	2,22	2,54	1,07	2,24	0,80	19,27	4,36	29,25	62.031
GRUPO ANDINO	0,99	0,27	2,48	4,57	1,43	1,58	1,75	0,02	1,77	0,07	1,85	3,56	10,04	16,79	34.122
ALADI	4,06	0,66	4,37	1,77	1,97	0,75	1,53	1,16	1,20	1,06	0,96	10,66	5,35	19,50	142.708

* Cifras en millones de dólares.

Fuente: Elaboración propia sobre la base de datos del INTAL (DATA INTAL).

CUADRO 3

COMERCIO INTRA-REGIONAL Y GLOBAL ENTRE LOS PAÍSES DE LA ALADI (1994)
(% DE LAS IMPORTACIONES TOTALES)

De/Hacia	Argentina	Bolivia	Brasil	Colombia	Chile	Ecuador	México	Paraguay	Perú	Uruguay	Venezuela	Merco-Sur	Grupo Andino	Aladi	Mundo*
Argentina	-	0,62	20,08	0,28	2,51	0,43	1,24	0,29	0,11	1,84	0,20	22,20	1,64	27,59	21.544
Bolivia	9,68	-	14,76	1,88	7,74	0,21	1,38	0,10	5,30	0,28	0,95	24,82	8,34	42,28	1.196
Brasil **	10,95	0,06	-	0,18	1,80	0,26	1,01	N.D.	0,57	2,07	1,62	13,02	2,69	18,52	32.975
Colombia	1,64	0,40	3,53	-	1,07	2,16	2,85	0,01	0,84	0,13	9,56	5,31	12,96	22,20	11.894
Chile	8,56	0,23	8,97	1,07	-	1,68	2,36	0,50	0,85	0,39	1,25	18,42	5,07	25,86	11.149
Ecuador	1,33	0,01	6,03	7,73	1,74	-	4,09	0,01	1,40	0,12	4,32	7,49	13,46	26,78	3.642
México	0,56	0,03	2,14	0,20	0,39	0,15	-	0,01	0,36	0,09	0,50	2,80	1,24	4,43	59.410
Paraguay	14,62	0,08	26,34	0,09	3,67	0,05	0,59	-	0,04	1,36	0,35	42,31	0,61	47,18	2.107
Perú	5,50	1,41	6,81	4,69	3,99	2,94	2,99	0,29	-	0,45	2,84	13,06	11,87	31,91	5.439
Uruguay	21,89	0,02	26,63	0,10	1,55	0,08	1,37	0,30	0,10	-	0,41	48,82	0,71	52,45	2.707
Venezuela	2,45	0,02	3,44	5,04	0,83	0,10	2,33	0,06	0,99	0,15	-	6,11	6,15	15,42	8.037
Mercosur	7,61	0,26	9,44	0,21	2,11	0,31	1,09	0,12	0,36	1,86	1,00	19,03	2,14	24,38	59.333
Grupo Andino	2,83	0,42	4,84	3,19	1,88	1,41	2,83	0,08	0,97	0,20	4,83	7,95	10,83	23,49	30.208
Aladi	4,16	0,20	5,83	0,83	1,28	0,55	1,10	0,10	0,51	0,79	1,56	10,87	3,65	16,91	160.100

* Cifras en millones de dólares.

* * A excepción del resto de los países, las importaciones brasileñas son FOB. En el caso de las importaciones brasileñas, las fuentes han sido el Boletín del Banco Central y CACEK e CIEF.

Fuente: Elaboración propia sobre la base de datos del INTAL (DATA INTAL) y BID (1995).

3.2. La Comunidad del Caribe (CARICOM)

La Comunidad del Caribe (CARICOM) se creó en 1973 con los objetivos de: eliminar los gravámenes al comercio mutuo, establecer un arancel externo común (AEC), armonizar los incentivos fiscales, realizar acuerdos sobre doble tributación y constituir una Corporación de Inversiones del Caribe (CIC).[27] Desde entonces se presentaron distintas iniciativas pero varias de ellas no fueron materializadas, fueron implementadas de modo parcial o por un número reducido de países.[28]

El predominio de las vinculaciones económicas extra-regionales de estos países y la dimensión reducida de sus mercados internos se convirtieron en los principales obstáculos para el cumplimiento de estas metas. Aunque las exportaciones intra-CARICOM se han incrementado en los últimos años (pasando del 11.2 % del total en 1990 al 15.1% en 1994), el comercio intra-CARICOM siempre constituyó una fracción pequeña del comercio total de sus países miembros. Por otra parte, existen numerosas dificultades para desarrollar una complementación entre las economías de esta zona, debido a la superposición de cultivos entre economías esencialmente agroexportadoras.

[27] La Comunidad del Caribe (CARICOM) está integrada por Antigua y Barbuda, Barbados, Belice, Domínica, Grenada, Guyana, Jamaica, Montserrat, San Cristóbal y Nieves, Santa Lucía, San Vicente y las Granadinas, y Trinidad y Tobago. Bahamas es miembro de la Comunidad del Caribe desde 1983, pero no del mercado común y Suriname fue aceptado como miembro de la CARICOM en febrero de 1995. Una de las características del CARICOM es el énfasis en proyectos de cooperación en ámbitos que van más allá del tema estrictamente comercial, como son energía, transporte, turismo, salud, educación, deportes, cultura, administración tributaria, desarrollo sostenible, asentamientos humanos y derechos humanos, etcétera.

[28] Distintos proyectos de cooperación regional se llevaron adelante desde la creación del CARICOM en 1973 como el Acuerdo de Incentivos Fiscales a la Industria de 1974 mediante el cual se intentó crear un programa de promoción de la industria; el régimen de programación industrial que fue aprobado en 1985; y el CARICOM Enterprise Regime que favorecería el desarrollo de empresas conjuntas entre los países miembros y que debería implementarse en 1990.

CUADRO 4

INDICADORES BÁSICOS DE LOS PRINCIPALES SOCIOS DEL CARICOM (1994)

PAÍSES	POBLACIÓN (miles)	SUPERFICIE (miles de km^2)	PBI (millones de u$s)	PBI PER CÁPITA (millones de u$s)	COEFICIENTE DE APERTURA EXTERNA (1)
BARBADOS	260	(2)	1.729	6.650	44,8
GUYANA	825	215	460	558	200,2
JAMAICA	2.521	11	3.829	1.519	80,4
TRINIDAD Y TOBAGO	1.292	5	6.121	4.738	42,2
CARICOM	5.109	254	12.692	2.484	60,9

(1) (X-M)/PBI x 100, calculado sobre la base de datos de 1994.
(2) La superficie de Barbados es menor a los 500 km^2.
Fuente: Elaboración propia sobre la base de datos de CEPAL (1994c) y BID (1995).

A mediados de 1989, en el contexto de una mayor convergencia entre las políticas económicas de corte neoliberal, se intentó dar un nuevo impulso al CARICOM con la Declaración de Grand Anse. El objetivo principal era reactivar el proceso de integración, implementar el arancel externo común en 1991, restablecer el Sistema de Compensación Multilateral de Pagos que cesó de funcionar en 1983, constituir el Parlamento de la Comunidad Caribeña y la Corte de Apelaciones del Caribe, y llegar a una unión monetaria en 1995. En esa ocasión se mantuvo el arancel mínimo en 5%, pero se redujo el arancel máximo de 70% a 45%.

Posteriormente, en la XIII Cumbre de Jefes de Gobierno celebrada en Puerto España en julio de 1992, la tarifa máxima del AEC se redujo a 35% para productos no agropecuarios y se postergó su aplicación generalizada para mediados de 1993 ya que cuatro países todavía no lo habían aplicado. Finalmente se resolvió implementar el AEC en etapas hasta lograr que el arancel máximo alcanzara el 20% en el año 1998. Según un informe presentado en la XVI reunión de Jefes de Gobierno realizada en febrero de 1995 en Belice, el cumplimiento de lo acordado fue bastante desigual entre los miembros de la Comunidad del Caribe, mientras que países como Jamaica y Trinidad y Tobago ya habían implementado la profundización de las preferencias arancelarias, países como Antigua, Barbados y Montserrat mantenían aún sus antiguos regímenes de licencias de importación.

En la Cumbre anual realizada en Guyana, en julio de 1995 se decidió dar un nuevo impulso al proceso de integración regional con el fin de consolidar el mercado común para poder participar del área de libre comercio hemisférico en el 2005 e incluso se habló de la posibilidad de lograrlo para enero de 1997. Con tal fin para diciembre del corriente año se eliminarían las licencias de importación para los productos de la región, el AEC máximo descendería del 35% al 30%, se procedería a la convertibilidad de las monedas de la región y a la progresiva desregulación de los controles de cambio. El tema más controvertido fue el de la libre circulación de personas, acordándose finalmente que por el momento sólo los graduados de universidades reconocidas gozarían de libertad de movimiento, a los que podrían sumárseles los periodistas y los deportistas en un segunda etapa. Por otro lado el transporte aéreo regional también fue desregulado.

En julio de 1994, los Jefes de Estado del CARICOM decidieron establecer una Asociación de Estados del Caribe junto con los países del MCCA, México, Colombia, Panamá, Venezuela y otros países que nunca habían participado de agrupaciones subregionales como Cuba, Haití y República Dominicana. Esta asociación de 25 miembros (pues Montserrat es sólo miembro asociado) que cuenta con alrededor de 200 millones de personas, un PBI de 500.000 millones de dólares y un volumen de comercio de unos 180.000 millones de dólares anuales, tiene como fin la cooperación económica y el fomento del comercio regional.

Con respecto al comercio del CARICOM con el resto del mundo, es importante señalar que Estados Unidos absorbe alrededor del 50% de sus exportaciones totales. Este país ofrece al CARICOM dos esquemas de acceso preferencial para sus exportaciones. El Sistema Generalizado de Preferencias (SGP) y la iniciativa de la Cuenca del Caribe (ICC) aprobada en 1985 y renovada en 1990, mediante la cual los países del Caribe pueden ingresar sus productos libre de impuestos, con la excepción de un reducido número

CUADRO 5

COMERCIO INTRA-REGIONAL Y GLOBAL ENTRE LOS PRINCIPALES PAÍSES DEL CARICOM (1990-1994)
(% DE LAS EXPORTACIONES TOTALES)

De/Desde	Barbados		Guyana		Jamaica		Trinidad y Tobago		CARICOM		Mundo **	
	1990	1994	1990	1994	1990	1994	1990	1994	1990	1994	1990	1994
Barbados *	-	-	0,82	2,58	5,40	9,03	7,96	12,2	14,6	25,1	219	155
Guyana *	1,41	1,55	-	-	0,21	1,11	4,32	1,55	5,99	4,21	234	451
Jamaica *	1,34	0,98	0,26	0,24	-	-	2,86	1,19	4,50	2,66	1218	1634
Trinidad y Tobago	3,55	3,61	1,31	3,06	2,70	6,11	-	-	7,70	12,9	2080	1960
CARICOM	1,98	2,19	0,69	1,57	1,55	3,25	1,32	1,10	5,64	8,35	4706	4319

* Datos estimados por el FMI.
** Cifras en millones de dólares.

Fuente: Elaboración propia sobre la base de datos del FMI (1995) y COMTRADE, NU.

CUADRO 6

COMERCIO INTRA-REGIONAL Y GLOBAL ENTRE LOS PRINCIPALES PAÍSES DEL CARICOM (1990-1994)
(% DE LAS IMPORTACIONES TOTALES)

De/Desde	Barbados		Guyana		Jamaica		Trinidad y Tobago		CARICOM		Mundo **	
	1990	1994	1990	1994	1990	1994	1990	1994	1990	1994	1990	1994
Barbados *	-	-	0,53	1,51	2,64	3,21	11,9	16,4	15,1	0,19	618	529
Guyana *	0,83	0,96	-	-	1,48	0,96	12,6	17,3	14,9	19,2	1801	415
Jamaica *	0,66	0,67	0,03	0,27	-	-	3,12	4,23	4,05	5,26	1022	2241
Trinidad y Tobago	1,70	1,57	0,99	0,62	3,41	1,84	-	-	6,10	4,20	5961	1136
CARICOM	0,54	0,86	0,23	0,46	0,92	1,00	2,69	5,64	4,45	5,62	11706	4581

* Datos estimados por el FMI.

** Cifras en millones de dólares.

Fuente: Elaboración propia sobre la base de datos del FMI (1995) y COMTRADE, NU.

de bienes. Sin embargo no se han podido incluir los textiles ni tampoco incrementar las cuotas del azúcar y muchas inversiones dentro de este esquema se dirigen a Centroamérica.

Especial preocupación suscitó el posible desvío de comercio e inversión, como consecuencia del acceso de México al NAFTA. Distintas propuestas se analizaron para contrarrestar los posibles efectos negativos del NAFTA. En este sentido, a principios de 1995 se presentó en el Congreso de los Estados Unidos el "Caribbean Basin Trade Security Act", con el fin de extenderles a los 24 países de la Cuenca del Caribe un tratamiento similar al de los países del NAFTA. Del lado caribeño existen posiciones contrarias acerca de la conveniencia de ingresar en el NAFTA como forma de contrarrestar los efectos negativos del mismo. Mientras que Jamaica y Trinidad y Tobago defienden la entrada en el NAFTA, otros países, más preocupados por las "condiciones" requeridas para ingresar en dicho bloque y el costo de desregular su comercio y abrir sus mercados, son menos favorables a esta opción.

Los productos de los países del CARICOM gozan también de un trato preferencial por parte de la Unión Europea –mercado que absorbe casi el 20% de sus exportaciones– mediante el SGP y fundamentalmente la Convención de Lomé. Sin embargo, debido a las quejas de los Estados Unidos, existen temores con respecto al mantenimiento del trato preferencial que reciben las exportaciones de bananas. Las consecuencias de la pérdida de acceso preferencial de bananas a la Unión Europea serían especialmente graves para países como Dominica, Santa Lucía y San Vicente, donde dicho producto representa, respectivamente, el 79, el 73 y el 58% de sus exportaciones y absorbe hasta el 50% de la población activa.

Por otro lado, muchas de las exportaciones de los países del CARICOM gozan de libre acceso en el mercado de Canadá desde 1986 (CARIBCAN) y en el mercado de Venezuela desde 1992. También han firmado un Tratado de Libre Comercio con Colombia en julio de 1994 y se encuentran analizando la posibilidad de establecer una zona de libre comercio con el MCCA.

3. 3. El Mercado Común Centroamericano (MCCA)

A partir del proceso de pacificación subregional iniciado con las negociaciones de Esquipulas en 1986 y el restablecimiento de la democracia en los países del istmo centroamericano, se dio un nuevo impulso al viejo proyecto de creación del Mercado Común Centroamericano (MCCA).[29] En este contexto, el proceso electoral en Nicaragua en 1990 y el acuerdo de paz firmado en 1992 entre el gobierno y las fuerzas irregulares en El Salvador posibilitaron la profundización del proceso de integración. Para los segmentos empresarios de dichos países se hizo evidente que la pacificación y la democratización podían traer beneficios económicos. Sustentado por un importante apoyo externo, el proyecto de integración subregional ganó prioridad entre los gobiernos del área con el lanzamiento del Plan de Acción Económico de Centroamérica (PAECA) en 1990.[30]

CUADRO 7
INDICADORES BÁSICOS DEL MCCA (1994)

PAÍSES	POBLACIÓN (miles)	SUPERFICIE (miles de km2)	PBI (millones de u$s)	PBI PER CÁPITA (millones de u$s)	COEFICIENTE DE APERTURA EXTERNA (1)
COSTA RICA	3.347	51	7.269	2.172	68,1
EL SALVADOR	5.642	21	7.884	1.397	36,3
GUATEMALA	10.322	109	12.952	1.255	31,4
HONDURAS	5.494	112	3.166	576	56,0
NICARAGUA	4.278	130	1.920	449	55,3
MCCA	29.083	423	33.191	1.141	44,4

(1) (X-M)/PBI x 100, calculado sobre la base de datos de 1994.
Fuente: Elaboración propia sobre la base de datos de CEPAL (1994c) y BID (1995).

[29] El MCCA es el proceso de integración regional de más larga data en América Latina, iniciado en 1960 mediante el Tratado de Managua. Como resultado, el comercio intrarregional se incrementó de 31 millones de dólares en 1960 a 278 millones de dólares en 1970 y las exportaciones intrarregionales pasaron del 6.8% del total en 1960 a 23.5% en 1968. Estos resultados positivos que se habían alcanzado en los años sesenta fueron entorpecidos, primero, por la guerra El Salvador-Honduras en 1969, después por los conflictos políticos y militares que siguieron a la revolución sandinista en Nicaragua y, finalmente, por la crisis generalizada de balanza de pagos de los países de la región. Ver CEPAL (1995 b) y Eduardo Gitli (1995).

[30] Entre los apoyos externos, debe destacarse el Plan Especial de Cooperación Económica para Centroamérica de Naciones Unidas, el Programa de Cooperación de la región con la CEE y el Programa Regional de Apoyo al Desarrollo de Centroamérica (PRADIC) aprobado por BID en 1992.

Este plan propuso un Sistema Regional de Pagos, el desmantelamiento de las trabas al comercio intrazonal, la coordinación en materia de comercio exterior y de las políticas de ajuste, la implementación de un programa de reconversión industrial y otro de ciencia y tecnología, la creación de un nuevo marco jurídico y operativo para la región, el mejoramiento de la infraestructura física y la formulación de una política agrícola común. A fines de ese mismo año, la Declaración de Puntarenas estableció un calendario para la adopción de políticas comunes relativas a: reducciones arancelarias y minimización de las restricciones no arancelarias, arancel externo común, normas de origen, códigos aduaneros, código *antidumping*, controles fiscales, transportes y comunicaciones. El objetivo final de estas medidas era garantizar el pleno funcionamiento de un mercado común a fines de 1992.[31]

En abril de 1993 se logró establecer una zona de libre comercio que abarca unos 1.500 productos y un AEC entre los países del "Grupo de los Cuatro" (G-4) conformado por Honduras, Guatemala, El Salvador y Nicaragua. El Sistema Arancelario Centroamericano abarca 5.641 partidas, con aranceles de 5%, 10%, 15% y 20%, y un promedio no ponderado de 14%. Por su lado, Costa Rica y Panamá optaron por incorporarse gradualmente al proceso asociativo mientras que Belice también ha manifestado su interés de ingresar en él.[32] El mismo año, los presidentes de los seis países firmaron en Guatemala un Protocolo al Tratado General de Integración

[31] En Julio de 1991, los gobiernos de los países de América Central se comprometieron a: reducir hasta el 31 de diciembre de 1992 el AEC a cuatro tasas básicas dentro del rango del 5% y 20%; liberalizar completamente el comercio intrazonal de productos agropecuarios a partir del 30 de junio de 1992 y suprimir los obstáculos al comercio intrarregional de manufacturas.

[32] A Costa Rica le preocupa especialmente el efecto de la desgravación sobre sus ingresos fiscales, dado su pronunciado déficit fiscal, y la libre circulación de personas, ya que tiene el menor nivel de desempleo de la región. Costa Rica también ha presentado objeciones con respecto a la integración política y monetaria. A Panamá, por su parte, le preocupa el impacto que la integración tendría en sus industrias manufactureras. En la actualidad, el nuevo gobierno de Costa Rica parece darle mayor importancia al proceso de integración centroamericano, mientras que el nuevo gobierno de Panamá, por el contrario, ha brindado mayor prioridad a las relaciones con países o agrupaciones de otras regiones, como el Grupo de los Tres, la Unión Europea, la Cuenca del Pacífico y el NAFTA. Ver CEPAL (1995 b).

Económica Centroamericano, por el cual se comprometían, sin fijar fechas exactas, a alcanzar la Unión Económica Centroamericana de forma voluntaria y gradual.

El Parlamento Centroamericano empezó a funcionar en 1992, aunque todavía falta que Costa Rica y Panamá ratifiquen su incorporación. También fue reactivada y reformada la Organización de los Estados Centroamericanos (ODECA), organismo rector del proceso de integración regional, constituyéndose así el Sistema de Integración Centroamericano (SICA) que entró en vigencia en 1993. El Banco Centroamericano de Integración Económica (BCIE) sigue funcionando como fuente de financiamiento de los proyectos de integración y de reconversión productiva. En 1994 se estableció la Corte Centroamericana de Justicia y el Consejo Intersectorial de Ministros de Infraestructura de Centroamérica (CIFCA). El Consejo Monetario Centroamericano (CMC) se ocupa de armonizar las políticas cambiaria, monetaria y crediticia de los distintos países. Por su parte, la Secretaría de Integración Económica Centroamericana (SIECA) se ha transformado en la coordinadora de estos distintos foros intergubernamentales.

El nuevo impulso integracionista en América Central ha tenido un impacto positivo sobre el comercio intra-regional. Después de un notable descenso durante la primera mitad de los años ochenta, el intercambio entre los países del área se ha recuperado parcialmente. Entre 1990 y 1994 las exportaciones intra-regionales pasaron del 16.6% de las exportaciones totales al 19% (cuadro 8). Guatemala y El Salvador son los participantes más activos en el intercambio subregional.

Pese al aumento del comercio intra-regional, la implementación efectiva de los nuevos objetivos integracionistas en América Central debe aún superar viejos problemas. Para impulsar el comercio en la región será necesario, además de la reducciones arancelarias, remover las barreras no-arancelarias que inciden sobre este intercambio. La eliminación de aranceles enfrenta algunas resistencias nacionales derivadas de su impacto sobre las finanzas públicas, cuyos ingresos continúan dependiendo de manera importante de la recaudación fiscal.

El gobierno salvadoreño anunció en enero de 1995 que inten-

CUADRO 8

COMERCIO INTRA-REGIONAL Y GLOBAL ENTRE LOS PAÍSES DEL MCCA (1990-1994)
(% DE LAS EXPORTACIONES TOTALES)

De/Hacia	Costa Rica		El Salvador		Guatemala		Honduras		Nicaragua		MCCA		Mundo *	
	1990	1994	1990	1994	1990	1994	1990	1994	1990	1994	1990	1994	1990	1994
Costa Rica	-	-	2,47	2,01	3,59	2,10	1,26	1,25	1,87	2,84	9,18	8,70	1456	3381
El Salvador	7,85	8,89	-	-	16,5	21,9	3,30	6,93	0,59	4,51	28,2	42,2	595	813
Guatemala	5,69	6,50	11,5	15,2	-	-	2,99	5,79	1,05	4,08	21,2	31,6	1396	1502
Honduras	0,17	1,41	1,54	2,27	1,10	1,12	-	-	0,37	1,73	3,18	6,53	954	614
Nicaragua	4,24	7,26	4,21	10,5	1,18	2,48	2,99	3,58	-	-	12,6	23,9	271	351
MCCA	2,98	3,06	4,78	5,22	3,52	3,97	1,88	3,23	1,05	3,07	14,2	18,5	4672	6661

* Cifras en millones de dólares.

Fuente: Elaboración propia sobre la base de datos del FMI (1995) y COMTRADE-NU.

CUADRO 9

COMERCIO INTRA-REGIONAL Y GLOBAL ENTRE LOS PAÍSES DEL MCCA (1990-1994)
(% DE LAS IMPORTACIONES TOTALES)

De/Hacia	Costa Rica		El Salvador		Guatemala		Honduras		Nicaragua		MCCA		Mundo *	
	1990	1994	1990	1994	1990	1994	1990	1994	1990	1994	1990	1994	1990	1994
Costa Rica	-	-	2,29	1,06	3,90	3,11	0,08	0,34	0,56	1,60	6,84	6,11	2038	3504
El Salvador	2,92	3,49	-	-	13,1	10,7	1,20	2,04	0,93	1,40	18,1	17,6	1229	2262
Guatemala	2,87	3,17	5,40	6,23	-	-	0,58	1,42	0,18	0,22	9,03	11,0	1821	2647
Honduras	1,69	1,63	1,81	3,48	3,86	6,23	-	-	0,75	0,36	8,11	11,6	1081	1335
Nicaragua	6,03	8,01	0,78	4,03	3,26	8,13	0,78	2,15	-	-	10,8	22,3	451	852
MCCA	2,02	3,56	2,54	3,99	4,49	7,10	0,46	1,61	0,52	1,39	10,0	17,6	6620	7096

* Cifras en millones de dólares.

Fuente: Elaboración propia sobre la base de datos del FMI (1995) y COMTRADE-NU.

taría fijar el techo del arancel externo común en 6% en un período de tres años, proponiendo una reducción inmediata para alcanzar un máximo de 15% y un mínimo de 1%. Por su lado el gobierno de Guatemala adoptó una tarifa uniforme del 10% en abril de 1995. Nicaragua, por la difícil situación económica en que se encuentra, aplica un Arancel Temporal de Protección que se reducirá hasta llegar en el año 2000 a los niveles del AEC pactados entre 5 y 20 % y además goza de la exclusión de 779 posiciones en lo que respecta al acuerdo de libre comercio. Costa Rica, frente al importante déficit fiscal, aplicó la cláusula de salvaguardia en marzo de 1995 para elevar el arancel a las importaciones extra-regionales.

Al igual que para los países del CARICOM, el principal socio comercial de Centroamérica es Estados Unidos y también gozan de dos mecanismos de acceso preferencial al mercado norteamericano: la Iniciativa para la Cuenca del Caribe (ICC) y el Sistema Generalizado de Preferencias.[33] Sin embargo, una preocupación particular despierta el impacto negativo que podría tener el NAFTA debido a que el mismo ya erosionó las preferencias de los países centroamericanos. De hecho, algunos productos mexicanos como los textiles y de indumentaria gozan de mayor acceso al mercado de Estados Unidos que los centroamericanos.

En febrero de 1993 se firmó con la Unión Europea un nuevo acuerdo de cooperación. En relación con las controversias por el tema de las bananas, Costa Rica y Nicaragua acordaron una cuota con la UE, mientras que Guatemala y Honduras se han opuesto a llegar a un acuerdo similar. Por otro lado, los miembros del MCCA se encuentran negociando un acuerdo de libre comercio con México, y en enero de 1995 entró en vigor un acuerdo de este tipo entre Costa Rica y México. Asimismo, los países centroamericanos firmaron un acuerdo marco con Colombia y Venezuela que deberá poner en marcha un programa de liberalización comercial.

Sin duda, habrá que seguir mejorando las condiciones de infraestructura, perfeccionar los métodos de control de calidad y

[33] Por medio de la ICC, las exportaciones de los países centroamericanos gozan de libre acceso al mercado norteamericano, con excepción de los textiles y confecciones, calzados, bolsas de mano y maletas, ropa de cuero, guantes de trabajo, atún en conserva, petróleo y sus derivados, relojes y azúcar.

modernizar la administración de aduanas para incrementar el comercio intrazona. Para ello, juegan un papel fundamental los proyectos de asistencia material y técnica de las Naciones Unidas y las agencias multilaterales de crédito.

3.4. Grupo Andino (GRAN)

Después de una fase inicial con resultados relativamente exitosos, esta asociación atravesó un largo período de estancamiento y retroceso. La falta de coordinación entre las políticas cambiarias, la proliferación de las restricciones no-arancelarias, y el incumplimiento de las obligaciones y de los plazos pactados –principalmente por los países menores del área–, sumados a los severos problemas de balanza de pagos ocasionados por la crisis de la deuda generaron, a partir de los años ochenta, un proceso de desintegración del GRAN.[34]

Con el Protocolo Modificatorio de Quito de 1988 se dieron los primeros pasos para una reformulación del Pacto Andino, creándose las bases para entendimientos bilaterales, y adoptándose un esquema flexible para los programas de desgravación, la liberalización del régimen para el capital extranjero y la promoción de nuevos campos de cooperación en el ámbito tecnológico, de servicios y de desarrollo fronterizo. Al año siguiente, con la "Declaración de Galápagos", los países del Grupo suscribieron el "Compromiso Andino de Paz, Seguridad y Cooperación" en donde se fijó como meta la formación de una unión aduanera en 1995, que en un período de cuatro años debería funcionar con la plena participación de los "países de menor desarrollo relativo".[35] En noviembre de 1990 esta agrupación anunció, mediante el Acta de La Paz, un nuevo plazo para la formación de una Zona de Libre Comercio (el

[34] Desde el punto de vista político-institucional ésta fue la inciativa de integración más audaz en América Latina. Se establecieron: la Junta de Cartagena, el Parlamento Andino, el Tribunal Andino y el Consejo de Ministros. Los limitados resultados económicos de esta experiencia impidieron, sin embargo, que estos órganos funcionaran de acuerdo con las expectativas originales.

[35] En esta ocasión se estableció una extensa y ambiciosa lista de metas, que incluyen la adopción de una tarifa externa común, la eliminación total de las listas de productos sensibles, la armonización de las políticas macroeconómicas y el establecimiento de una política agrícola común.

31 de diciembre de 1991) y anticipó la adopción de una tarifa externa común para 1995.

En febrero de 1995 entró en vigencia el AEC basado en cuatro categorías: 5,10,15 y 20%. Sin embargo, la unión aduanera implementada es aún imperfecta. Por un lado, cada país goza de una lista de excepciones –400 productos en el caso de Ecuador y aproximadamente 200 en los casos de Venezuela y Colombia– que se deberán reducir hasta su completa eliminación en 1999. Ecuador tiene permitido aplicar aranceles que difieren hasta cinco puntos del AEC acordado y Bolivia aplica sólo dos categorías arancelarias de 5 y 10%, excepción otorgada por su enclaustramiento geográfico que dificulta la triangulación. Perú, provisoriamente fuera del GRAN desde principios de 1992, mantiene las categorías de 15 y 25%. En la misma fecha entró en vigor el Sistema Andino de Franjas de Precios, por el cual se intenta estabilizar el costo de los principales productos agropecuarios importados ajustando el AEC según la fluctuación de los precios internacionales.[36]

El intercambio entre los socios del Pacto Andino nunca representó una proporción significativa del comercio total de sus países miembros. Sin embargo, entre 1990 y 1994 el comercio intra-regional aumentó a una tasa promedio de 27% y pasó del 4.2% al 10% del total de las exportaciones, debido especialmente al aumento del comercio entre Colombia y Venezuela (cuadro 2).

Además, es importante destacar que en este período han aumentado considerablemente las exportaciones industriales en el ámbito del GRAN. Así, las exportaciones colombianas pasaron del 13% en 1990 al 37% en 1994, las exportaciones ecuatorianas aumentaron del 17% al 41% y las exportaciones venezolanas del 12,5% al 35% en el mismo período.

La integración andina ha ayudado a estos países a aumentar su oferta exportable en productos de mayor valor agregado. Los flujos comerciales entre estos países se caracterizan por el hecho de que se concentran en uno o dos socios principales, tratándose general-

[36] Los productos comprendidos por dicho sistema son el aceite de palma, aceite de soja, arroz, azúcar, cebada, leche, maíz, soja, trigo carne de pollo y cerdo. Ver BID (1995).

mente de países fronterizos y/o con similares niveles de desarrollo. Vale destacar que el comercio entre Colombia y Venezuela representa aproximadamente la mitad del comercio intra-andino.[37]

Una importante razón de los bajos índices de comercio subregional es el peso de las vinculaciones comerciales extra-andinas, particularmente con Estados Unidos. En 1994 el mercado norteamericano absorbió el 40,3% de las exportaciones de esta subregión y la UE el 18.3%. Esta tendencia ha sido reforzada por una ley aprobada por el gobierno de los Estados Unidos que otorga acceso preferencial para ciertos productos provenientes del GRAN como parte de un programa de lucha contra el narcotráfico y por la exención arancelaria otorgada por la CE para los productos agrícolas que generalmente se encuentran fuera del SGP.

En cuanto a las relaciones con el resto de los países latinoamericanos, Colombia y Venezuela integran con México el "Grupo de los Tres" (G-3). Con el propósito de dar continuidad a la experiencia del Grupo Contadora, este grupo se constituyó en marzo de 1990 y opera con el objetivo de promover una aproximación política y económica entre los tres países y de proyectar esta aproximación sobre América Central y el Caribe.

El 13 de junio de 1994 los tres países firmaron un Tratado de Libre Comercio con el objetivo de crear una Zona de Libre Comercio en el 2005 mediante una desgravación arancelaria progresiva y automática de 10% a partir de 1995. Dicho acuerdo abarca diversos temas relacionados, como los servicios, prácticas desleales, inversión, circulación de personas, propiedad intelectual, solución de controversias y salvaguardias.

Colombia y Venezuela han liberalizado el 62% de su comercio bilateral, mientras que México sólo ha liberalizado 16% de su comercio con estos dos países. Venezuela goza de 2 años de gracia para comenzar la desgravación de su sector textil y confecciones, Colombia cuenta con 13 años para eliminar los aranceles en la industria automotriz y de autopartes. A su vez el sector agropecuario cuenta con un régimen especial. El intercambio de México con sus dos socios andinos es aún reducido. En 1994 las exportaciones

[37] Para un análisis del comercio intra-andino, ver Mauricio Reina *et al.* (1995).

mexicanas a Colombia y Venezuela representaron algo más del 1% del total y sus importaciones desde estos países representaron menos del 1% (cuadros 2 y 3).

El G-3 contempla la posibilidad de adhesión de otros países, además de las ya mencionadas relaciones entre sus tres miembros y los países del CARICOM y del MCCA. Las relaciones de dicho Grupo con el resto de los países latinoamericanos podría ayudar a fortalecer las vinculaciones entre América del Norte y América del Sur. Bolivia; a su vez, firmó un Acuerdo de Complementación Económica con México en septiembre de 1994 que prevé una desgravación general con excepciones.

Al mismo tiempo el GRAN y el MERCOSUR están negociando la creación de una zona de libre comercio, en un período de 10 años. Dichas negociaciones se basan en el esquema "4 + 1", lo que significa que el MERCOSUR negocia por separado con cada uno de los países del GRAN. También es importante destacar los acuerdos bilaterales firmados por los países miembros del GRAN con Chile, con el fin de establecer zonas de libre comercio. En abril de 1993 Chile firmó acuerdos con Bolivia y Venezuela, en diciembre de 1993 lo hizo con Colombia y en diciembre de 1994 con Ecuador.

En el GRAN aún persisten dificultades para armonizar las políticas nacionales de los países miembros y para superar problemas de infraestructura, en especial en las áreas de transporte y comunicaciones. Además de las trabas causadas por las limitaciones del comercio intra-andino, en algunos de los países miembros predomina un alto grado de inestabilidad político-institucional que afecta las condiciones de interacción entre las economías de la región. Aún menos auspicioso para el éxito del proceso de integración subregional fue la eclosión de un conflicto armado a fines de enero de 1995 entre Perú y Ecuador, a raíz de disputas limítrofes en la cordillera del Cóndor, en una zona donde se encuentra la cabecera del río Cenepa, uno de los ríos que dan a Ecuador acceso al Amazonas.

3.5. El Mercado Común del Sur (MERCOSUR)

El principal antecedente del Mercado Común del Sur (MERCOSUR) fue la asociación argentino-brasileña iniciada en 1986 con el Programa de Integración y Cooperación Económica

(PICE). A pesar de sus falencias, el PICE introdujo una nueva dinámica en las relaciones entre la Argentina y Brasil con dos resultados importantes: i) aumentó sustancialmente el comercio entre los dos países, ii) generó una base de apoyo para la integración bilateral por parte de sectores representativos de los cuadros burocráticos y de las elites políticas y económicas.[38]

El PICE se vio afectado por los procesos de inestabilidad macroeconómica observados en los dos países durante la segunda mitad de los años ochenta, cuando a los reiterados cuadros recesivos se sumaron escaladas inflacionarias y grandes oscilaciones cambiarias. Este escenario explica la inoperancia de la mayoría de los protocolos del Programa, lo que finalmente condujo a una revisión de la estrategia inicial. En este contexto, los gobiernos argentino y brasileño firmaron en 1988 un Tratado de Integración, Cooperación y Desarrollo, manifestando un compromiso recíproco de dar continuidad al proceso de integración bilateral.

A partir de julio de 1990, el PICE sufrió una profunda reformulación estimulada por tres factores: i) la persistencia de una voluntad política favorable a la integración bilateral a pesar de los cambios de gobiernos; ii) la sintonía entre los programas de reforma económica introducidos por los gobiernos argentino y brasileño; y iii) el aumento continuado del intercambio entre ambos países. En este contexto, la Argentina y Brasil firmaron el Acta de Buenos Aires, que dispuso la formación de un mercado común para el 31 de diciembre de 1994.

En diciembre de 1990 ambos países suscribieron un Acuerdo de Complementación Económica que consolidó los entendimientos bilaterales anteriores en el ámbito de la ALADI y estipuló un programa automático de liberalización comercial –eliminación total de barreras tarifarias y no tarifarias– que debía estar concluido el 1° de enero de 1995. Finalmente con miras a dar una proyección subregional a este proceso, los gobiernos argentino y brasileño firmaron con Paraguay y Uruguay el Tratado de Asunción (marzo de 1991) que preveía la formación del MERCOSUR.

---

[38] Para un análisis sobre la evolución del PICE, ver Monica Hirst (1991).

A partir del 1° de enero de 1995 se estableció un Código Aduanero Común en el MERCOSUR. Al mismo tiempo, cerca del 90% del comercio intra-regional ya se encontraba liberalizado, previéndose la completa liberalización para el año 2000 a través de un "régimen de adecuación". Se creó un régimen de normas de origen que requiere 60% de contenido local. La unión aduanera cubre cerca del 85% del comercio extra-regional, basado en 11 niveles tarifarios que van de 0 al 20%. Las excepciones al Arancel Externo Común (AEC) están dadas por el régimen especial para los bienes de capital, las telecomunicaciones y la informática; las listas de excepciones nacionales; y los sectores transitoriamente excluidos.

El objetivo es que el AEC máximo de los bienes de capital converja en 14% en el año 2001 (2006 para Paraguay y Uruguay) y el de los bienes de telecomunicaciones e informática converja en 16% en el año 2006. Mientras que Brasil deberá reducir sus aranceles para llegar a estos niveles, la Argentina deberá aumentar los propios. Por su parte, las listas de excepciones con un máximo de 300 productos (399 para Paraguay) deberán ser eliminadas antes del año 2000 (2005 para Paraguay).[39]

En cuanto al objetivo de crear un mercado común, los países miembros han acordado una política comercial común basada en "requisitos mínimos" (como reglas de origen, coordinación y organización aduanera, regímenes de importación especial, prácticas desleales y salvaguardias), pero la libre circulación de trabajo y capital son metas que serán alcanzadas en el largo plazo.

Como resultado del proceso de integración, las exportaciones intra-MERCOSUR crecieron en un 23.7% durante el período de 1990-1994, superando el crecimiento de sus exportaciones totales. Mientras que en 1990 las exportaciones intra-regionales constituían el 8.8% de las exportaciones globales, en 1994 este porcentaje ya alcanzaba el 19%. El comercio intra-regional adquirió una creciente importancia para los principales socios del MERCOSUR. Brasil se convirtió en el primer mercado de las exportaciones argentinas al absorber el 23% de las exportaciones totales en 1994,

---

[39] En marzo de 1995, Brasil fue autorizado a incrementar su lista de excepciones en 150 ítems por el plazo de un año.

mientras que la Argentina pasó a absorber casi el 10% de las exportaciones totales brasileñas, constituyéndose en el segundo mercado de las mismas. Se prevé que, en 1995, el mercado brasileño habrá absorbido casi el 30% de las exportaciones argentinas.

En los casos de Paraguay y Uruguay, el MERCOSUR constituye el principal mercado para sus exportaciones, llegando a absorber respectivamente el 42 y 46% de sus exportaciones totales en el año 1994 (cuadro 2). El 42% de las importaciones totales del Paraguay y el 49% de las importaciones del Uruguay provinieron del MERCOSUR (cuadro 3). Estas cifras revelan la importancia del proceso de integración para estos dos países, debido fundamentalmente a la dependencia comercial de ambos con la Argentina y Brasil. Cabe destacar la asimetría de esta relación que a pesar del tamaño reducido de los mercados uruguayo y paraguayo, han crecido en importancia para la Argentina y Brasil. En 1994, el 4% de las exportaciones totales de Brasil se dirigieron al Paraguay y Uruguay, mientras que la Argentina les exportó el 7%. Por otra parte, tanto para Brasil como para la Argentina las importaciones originarias de Paraguay y Uruguay representaron el 2% de sus importaciones totales (cuadros 2 y 3). También debe señalarse que, a diferencia de la estructura de las exportaciones extra-regionales, más del 60% de las exportaciones intra-MERCOSUR en 1994 estaba conformado por productos manufacturados.

Es igualmente importante tener en cuenta el aumento de los flujos de inversión hacia la subregión, atraídos por la conformación de un espacio económico ampliado, el proceso de privatizaciones, el crecimiento de las economías, la mayor estabilidad macroeconómica de sus miembros y también la disminución de las barreras a la inversión extranjera. En el caso de las inversiones intra-regionales, este proceso fue liderado por las empresas brasileñas debido a su tamaño y su experiencia de internacionalización. En el caso de las inversiones argentinas en la región, si bien fueron más modestas, actualmente las empresas parecen estar operando "regionalmente", sobre todo en los sectores energéticos y de alimentos.

Como se señaló, el comercio subregional registró un importante incremento y la producción industrial y agrícola en los cuatro países ha ido incorporando gradualmente el horizonte de un área económica integrada como un condicionante de sus actividades. Este impacto generó un rápido proceso de politización debido a la distribución desigual de costos y beneficios entre los miembros del MERCOSUR, y entre los propios sectores económicos dentro de cada país. Los primeros impactos económicos, sumados a la presión impuesta por un calendario apretado, estimularon resistencias en el ámbito nacional e intergubernamental que pusieron en evidencia algunos "pecados originales" del proyecto.

Poco después de su creación, el MERCOSUR se vio afectado por medidas que aplicaron sus principales socios con el fin de enfrentar ciertas dificultades internas. En el caso de la Argentina, frente a la crisis financiera y los problemas fiscales, se restableció la tasa de estadística del 3 % a las importaciones extra-MERCOSUR y se incrementaron los aranceles a los bienes de capital de 0% al 10% y de 2% al 10% en el caso de los equipos de telecomunicaciones.

Por su parte, Brasil, frente al creciente déficit comercial, aplicó un aumento de los aranceles de 109 productos, incluyendo automóviles y bienes durables, de 32 a 70%; amplió la lista de excepciones de 300 a 450 productos y estableció una cuota a las importaciones de automóviles de forma tal de impedir que exceda un monto igual al 5% de la producción nacional. A fines de agosto de 1995, Brasil resolvió suspender las cuotas para la Argentina, acordando negociar las bases de una política común en el sector automotriz, lo que fue alcanzado en la Reunión Presidencial de Punta del Este en diciembre de 1995. Sin embargo estos sucesos demostraron que las distintas prioridades nacionales podrían llevar a disputas similares en otros sectores.

Las exportaciones extra-regionales del MERCOSUR ocupan aún un lugar destacado en su comercio total. El MERCOSUR destinó en 1994 el 27.7% de las exportaciones totales a la UE, el 16.7% a EE.UU. y el 9.9% al resto de América Latina. Por esta razón son muy importantes las relaciones con terceros países, las negociaciones internas de la ALADI con Chile y con los miembros del Grupo Andino, el acuerdo con la Unión Europea y las conversaciones con EE.UU.

Entre los países del Grupo Andino, Bolivia ha demostrado especial interés en integrarse al MERCOSUR, dado que el intercambio con el mismo supera ampliamente el comercio con el Grupo Andino.[40] En este sentido, la hidrovía Paraná-Paraguay estimulará aun más la integración de Bolivia con los países del dicho agrupamiento. El MERCOSUR también permitirá aumentar el poder de negociación de los países pequeños.

Aunque más reticente, Chile también ha manifestado su interés de lograr un acuerdo de libre comercio con el MERCOSUR, dado que este mercado absorbe un importante cantidad de productos manufacturados y, además, la Argentina recibió casi el 50% de las inversiones chilenas en el exterior en la última década. Los países del MERCOSUR, por su lado, se beneficiarían de los puertos chilenos sobre el Pacífico y de la participación de Chile en el APEC (Asian Pacific Economic Cooperation). Los principales obstáculos para concluir esta negociación son que Chile posee una economía más abierta que los países del MERCOSUR y, además, que los agricultores chilenos se resisten a la competencia argentina.

Con respecto a la relación del MERCOSUR con los Estados Unidos, en junio de 1991 se firmó un "Acuerdo de Estructura Operativa sobre Comercio e Inversión" con el fin de enmarcar las negociaciones de la Iniciativa para las Américas. Actualmente el debate acerca de las ventajas y desventajas del acceso al NAFTA fue reemplazado por el debate acerca del proceso de integración hemisférica.

En el mediano y el largo plazo, los principales desafíos que deberá afrontar el MERCOSUR serán: la coordinación macroeconómica y sectorial, el mejoramiento de la infraestructura, la armonización de sus legislaciones, la eliminación de barreras no-arancelarias y la institucionalización del proceso de integración.[41] A mayor interdependencia, mayor es la necesidad de coordinación económica. Por ello, será necesario alcanzar cierto nivel de coordinación de las políticas industriales, fiscales, monetarias, cambiarias, de capitales, etc., para evitar posibilidades de retroceso o estancamiento en el proceso de integración subregional.

---

[40] En 1995, Bolivia firmó un memorando de entendimiento con el MERCOSUR en el que se estableció, como primer paso para la firma de un ALC, la renegociación de las preferencias arancelarias con los cuatro países, y un plazo máximo de diez años para la entrada en vigor de la zona de libre comercio.

[41] Sobre las instituciones del MERCOSUR, ver el capítulo anterior.

En cuanto a la infraestructura, cerca del 60% del comercio se lleva a cabo por carreteras debido a la incompatibilidad de los sistemas ferroviarios de la Argentina y Brasil, los altos costos del transporte marítimo (especialmente los costos portuarios) y las pobres condiciones de las comunicaciones fluviales. Respecto de las barreras no arancelarias, éstas pueden llegar a contrarrestar el impacto real de la eliminación de los aranceles y su identificación y reducción será una tarea compleja y costosa políticamente.

3.6 El Acuerdo de Libre Comercio de América del Norte (NAFTA)

La negociación de un acuerdo de libre comercio entre Estados Unidos y México representó la culminación de una aproximación económica entre los dos países, profundizada a partir de los años ochenta. Este proceso fue estimulado por el conjunto de reformas introducidas en la economía mexicana desde la eclosión de la crisis de la deuda, que tuvo como uno de sus principales componentes la liberalización del régimen de comercio exterior. Como parte de este proceso vale destacar la decisión mexicana de ingresar en el Acuerdo General de Aranceles y Comercio (GATT) a mediados de 1986, así como los diversos acuerdos comerciales negociados con Estados Unidos (el Entendimiento Bilateral sobre Subsidios y

CUADRO 10
INDICADORES BÁSICOS DEL NAFTA (1994)

Países	Población (miles)	Superficie (miles de km²)	PBI (millones de u$s)	PBI per cápita (millones de u$s)	Coeficiente de apertura externa (1)
Canadá	29.100	9.976	548.370	18.844	57,6
Estados Unidos	260.600	9.373	6.738.400	25.857	17,4
México	89.571	1.958	297.928	3.326	43,6
NAFTA	379.271	21.307	7.584.698	19.998	21,3

(1) (X-M)/PBI x 100, calculado sobre la base de datos de 1994.
Fuente: Elaboración propia sobre la base de datos de CEPAL (1994c) y BID (1995).

CUADRO 11

COMERCIO INTRA-REGIONAL Y GLOBAL ENTRE LOS PAÍSES DEL NAFTA (1990-1994)
(% DE LAS EXPORTACIONES TOTALES)

DE/HACIA	CANADÁ		ESTADOS UNIDOS		MÉXICO		NAFTA		MUNDO*	
	1990	1994	1990	1994	1990	1994	1990	1994	1990	1994
CANADÁ	-	-	72,7	84,54	0,4	0,44	73,0	82,98	131.278	161.269
ESTADOS UNIDOS	21,1	22,30	-	-	7,2	9,92	28,3	32,22	393.106	512.397
MÉXICO	2,4	5,49	73,1	80,38	-	-	75,5	85,87	29.982	56.951
NAFTA	15,1	16,07	21,2	24,48	5,2	7,06	41,5	47,61	554.366	730.617

* Cifras en millones de dólares.

Fuente: Elaboración propia sobre la base a datos del FMI (1994).

CUADRO 12

COMERCIO INTRA-REGIONAL Y GLOBAL ENTRE LOS PAÍSES DEL NAFTA (1990-1994)
(% DE LAS IMPORTACIONES TOTALES)

De/Hacia	Canadá		Estados Unidos		México		NAFTA		Mundo*	
	1990	1994	1990	1994	1990	1994	1990	1994	1990	1994
Canadá	-	-	62,9	65,75	1,2	2,27	64,1	68,02	119.681	151.523
Estados Unidos	18,1	19,14	-	-	6,0	7,31	24,1	26,45	517.020	689.310
México	1,3	0,99	72,0	70,57	-	-	73,3	71,57	321.144	72.039
NAFTA	14,1	14,53	14,7	16,48	4,8	5,89	33,6	36,91	668.845	912.872

* Cifras en millones de dólares.

Fuente: Elaboración propia sobre la base de datos del FMI (1994).

Derechos Compensatorios en 1985, el Acuerdo Marco sobre Principios y Procedimientos para Desarrollar Consultas Relativas al Comercio y la Inversión en 1987, los entendimientos sectoriales sobre productos textiles y siderúrgicos, y el Mecanismo para la Facilitación de Conversaciones sobre Comercio e Inversión en 1989).

Estados Unidos absorbe aproximadamente el 80% de las exportaciones mexicanas, por lo cual el objetivo de México al ingresar al NAFTA fue asegurarse el acceso a su principal mercado, contrabalanceando los efectos perjudiciales del Acuerdo de Libre Comercio entre Estados Unidos y Canadá en 1988 (cuadro 12). Es preciso señalar que una cantidad creciente de este comercio es de tipo intrafirma. Los aspectos problemáticos de esta relación se refieren a su carácter asimétrico: el mercado mexicano absorbe algo menos del 10% de las exportaciones norteamericanas, y el PBI de México es alrededor del 4% del de Estados Unidos (cuadro 10).

Las negociaciones tripartitas entre Canadá, Estados Unidos y México para la firma del Acuerdo de Libre Comercio de Norteamérica abordaron una agenda de temas básicos desagregados en 19 grupos de trabajo. Este proceso de negociación implicó la participación de sectores gubernamentales, políticos, empresarios, sindicales y ambientalistas.

En México, estas negociaciones fueron conducidas por técnicos del gobierno, contando con el amplio respaldo del partido oficial y el apoyo directo de la Presidencia. Además de un impacto dinamizador sobre la economía mexicana, se preveía que el acuerdo podría influir en el futuro del sistema político mexicano, particularmente su política agraria, sindical y electoral. En Estados Unidos, estas negociaciones tuvieron un mayor impacto del que se esperó en un principio. Posiciones frontalmente contrarias al mismo (en medios sindicales y algunos sectores industriales tales como los productores textiles y de indumentaria), se contrapusieron con otras favorables como las de los sectores de servicios y algunos agrícolas (particularmente los productores de granos) e industriales. También se sumaron al debate los grupos ambientalistas, quienes pasaron a vigilar el impacto ambiental de los compromisos asumidos por los Estados parte. Esta politización llevó a un mayor protagonismo del Congreso norteamericano en el proceso de negociación y en sus derivaciones posteriores.

El NAFTA fue suscrito en diciembre de 1992 y entró en vigencia en enero de 1994. Este acuerdo no se limita a la liberalización del comercio de bienes y servicios sino que incluye temas como servicios financieros, transportes, inversión, derechos de propiedad intelectual, condiciones laborales y de medio ambiente. Por otro lado, el NAFTA se destaca por ser un acuerdo de libre comercio entre un país en vías de desarrollo y otros dos desarrollados.[42] El comercio entre los tres miembros del acuerdo se verá completamente liberalizado en un plazo de 15 años cuando los sectores sensibles (sector automotriz, textil y agrícola) queden incluidos. Respecto de las inversiones intra-regionales, ciertas restricciones se aplican al sector petrolero y de ferrocarriles en México, a las industrias culturales en Canadá y al sector del transporte aéreo y de radioemisoras en Estados Unidos.

Si bien este acuerdo se ha destacado por la profundidad y extensión de los compromisos de liberalización, el mismo ha sido objeto de críticas por las restrictivas normas de origen para sectores como el automotriz y el textil. En el caso automotriz, el contenido regional deberá ser de 62.5% para los automóviles y del 60% para otros vehículos y autopartes. Estas normas de origen restrictivo no sólo afectan a los productores regionales, obligándolos a abastecerse con proveedores menos eficientes en la región, sino que encierran efectos perjudiciales para terceros países.

En el nivel institucional, se creó una Comisión de Comercio que se ocupa de supervisar la evolución del NAFTA. Dicha comisión, compuesta por representantes de nivel ministerial de cada uno de los países, se encuentra asistida por 40 comités y grupos de trabajo. También se previó el establecimiento de una Secretaría y de un mecanismo de solución de controversias sobre derechos compensatorios y *antidumping*, a cargo de un grupo de expertos.

Entre 1990 y 1994 las exportaciones de bienes intra-NAFTA

[42] Si bien el NAFTA se basa en el principio de reciprocidad, se reconocieron ciertas asimetrías en el comercio intra-regional, permitiéndosele a México desgravar una menor proporción de su comercio de lo que lo hacen sus socios.

crecieron un 54%, mientras que las exportaciones al mundo se incrementaron en 18%. En el caso de México, las exportaciones a Estados Unidos aumentaron en 1.350% y a Canadá en 160%. Canadá aumentó sus exportaciones a México en 53% y a Estados Unidos en 35% y Estados Unidos, por su parte, aumentó sus exportaciones a Canadá en 38% y a México en 79%.

El NAFTA despertó particular preocupación en el resto de los países latinoamericanos debido a su impacto político y económico. Por un lado, el elevado crecimiento del comercio intra-NAFTA, en comparación con el comercio con el resto del mundo, generó preocupaciones de que el acuerdo estuviera produciendo desvío de comercio. Las restrictivas normas de origen ya mencionadas contribuyeron a alimentar este tipo de preocupación. Sin embargo, distintos estudios han estimado que el desvío de comercio ha sido muy leve. En cuanto al posible efecto del NAFTA sobre los términos de intercambio de los países no miembros, se estima que tampoco han sido considerables.[43] Por otro lado, el aumento de inversiones recibidas por México también hace suponer la existencia de algún desvío de inversión. En este sentido, México acaparó el 50% de los flujos de inversión extranjera directa destinados a América Latina desde que comenzaron las negociaciones del NAFTA.

El problema más grave en la comunidad latinoamericana generado por este acuerdo ha sido la compatibilidad de la membrecía de México en el NAFTA y en la ALADI, una vez que según el Art. 44 del Tratado de Montevideo, México debía otorgar a los demás miembros de la ALADI las mismas concesiones otorgadas a sus socios del NAFTA. Luego de difíciles tratativas en la ALADI, se resolvió que cualquier nación que firmase acuerdos preferenciales con terceros países podría obtener un "waiver" por 10 años de la aplicación de dicho artículo a cambio de compensar con otras concesiones a los países afectados.

---

[43] Para un análisis más profundo del desvío de comercio producido por el NAFTA, ver Refik Erzan y Alexander Yeats (1992), Samuel Laird (1990) y Carlos Primo Braga (1992), entre otros. Bianchi y Robbio también han realizado una interesante evaluación del desvío de comercio provocado por el acceso de Mexico al NAFTA en detrimento de Brasil y la Argentina. Ver E. Bianchi y J. Robbio (1993). Con respecto al impacto sobre los términos de intercambio, ver D. Brown *et al.* (1992).

En cuanto a la eventual adhesión de otros países al NAFTA, la crisis mexicana y el triunfo republicano en 1994 dificultan dicha posibilidad.[44] En este sentido, es importante notar las dificultades que se le presentan a la actual administración norteamericana para conseguir el "fast track" (o mecanismo de vía rápida) para negociar la inclusión de Chile.[45]

Con referencia a los beneficios de ingresar en el NAFTA, se estima que los mismos serán mayores para los países que cuenten previamente con un importante comercio con sus miembros y allí donde las manufacturas tengan una participación relativamente alta. También podría ser beneficioso para los países que se vean más perjudicados por el ingreso de México, en el sentido de que podrían contrarrestar dichos efectos. Además debe tenerse en cuenta que no todos los productos gozarán de libre acceso mediante el ingreso en el NAFTA, como demuestra el tratamiento especial que dentro de dicho acuerdo gozan ciertos productos agrícolas, los textiles y los automóviles y también la existencia de salvaguardias y las estrictas normas de origen. En el caso del sector agrícola por ejemplo, la liberalización se encuentra limitada por la permanencia de cuotas en Estados Unidos para algunos productos y la existencia de salvaguardias aplicables en dicho sector.[46] Más aún, los países que mantienen importantes transacciones con otras regiones pueden verse perjudicados por el desvío de comercio.

Como demuestra el caso de México, deberían tenerse en cuenta los costos derivados del cumplimiento de los requisitos que

[44] Como consecuencia en gran medida de la devaluación del peso mexicano, Estados Unidos experimentó un déficit de $ 3800 millones en su comercio con México en el primer trimestre de 1995, dato importante si se lo compara con el superávit de $ 537 millones experimentado en el mismo período del año anterior. Ver BID (1995).

[45] El tema ambiental y el laboral parecieran ser dos cuestiones que dificultan el ingreso de Chile en el NAFTA, por lo cual una de las opciones sería dejar estos dos temas fuera de la "fast-track authority". El procedimiento de consideración legislativa denominado "fast track" permite al Poder Ejecutivo negociar un acuerdo, limitándose el Congreso a aprobar o rechazar el mismo, sin poder introducir modificaciones.

[46] Ejemplos son el caso del azúcar, el jugo de naranja y el maní, cuyas exportaciones de México se ven limitadas por la existencia de cuotas que si bien han sido aumentadas no han sido eliminadas.

se exigen a los países interesados en incorporarse al NAFTA. Estos países deberán fortalecer sus normas ambientales, laborales, de propiedad intelectual y deberán también liberalizar el sector de servicios financieros y las reglamentaciones respecto de la inversión extranjera.

Otros temas importantes a tener en cuenta son los efectos sobre los procesos de integración regional ya en curso. Puede preverse tanto un fortalecimiento de estos procesos con el fin de aumentar el poder de negociación, como también, un debilitamiento de los mismos si el ingreso en el NAFTA condujera a su desactivación. Finalmente, debe destacarse que el impacto del NAFTA estará inevitablemente relacionado con el desempeño de la OMC y su capacidad de restringir las acciones unilaterales de Estados Unidos.[47]

4. Conclusiones

No cabe duda de que el cuadro descripto demuestra una participación importante de América Latina en las nuevas tendencias mundiales hacia la celebración de acuerdos regionales de comercio. Esta participación, sin embargo, revela también un proceso desarticulado de iniciativas subregionales con posibilidades desiguales de éxito. A continuación se plantean algunas reflexiones sobre sus horizontes de corto y mediano plazo.

El conjunto de iniciativas brevemente descripto revela un momento particularmente activo de negociaciones económicas intralatinoamericanas. Poco a poco, este proceso supera una grave limitación: el bajo nivel de intercambio preexistente entre las economías de la región. Con la excepción de las relaciones México-Estados Unidos, los demás proyectos asociativos partieron de una base de intercambio reducido. En los últimos años, entre tanto, han incrementado su comercio intra-regional y la participación de éste en el comercio total. El caso del MERCOSUR se ha convertido en la experiencia más exitosa en este sentido.

[47] Para un análisis más detallado del impacto del NAFTA en los países latinoamericanos, ver Refik Erzan y Alexander Yeats (1992), Roberto Bouzas y Jaime Ros (1994), Manuel Agosin y R. Alvarez (1994), Gary Clyde Hufbauer y Jeffrey J. Schott (1993), CEPAL (1995 b).

Además de motivaciones comunes, estas iniciativas han sido estimuladas por intereses nacionales específicos. En este caso no se trata solamente de motivaciones relacionadas con las políticas económicas predominantes sino, también, con factores políticos, sociales y geoeconómicos.

Cuando se analizan las razones que condujeron a los países latinoamericanos a poner en marcha estas iniciativas se percibe que, a pesar de su naturaleza fragmentada, todos ellos actúan a partir de un universo estratégico semejante. No obstante, al contrario de lo que ocurría en los años sesenta, esta semejanza no está generando una percepción y una acción política regional, sino que está estimulando la búsqueda de asociaciones selectivas mini o bilaterales a partir de nuevos intereses y expectativas sobre los beneficios de las asociaciones preferenciales.

La convergencia de los "métodos" y los "resultados" de las reformas económicas aplicadas por cada país han representado una importante motivación para las asociaciones más recientes. La coincidencia de tiempos, resultados y/o dificultades en los procesos de ajuste y los grados de apertura de sus respectivas economías han contribuido a la aproximación entre los países.

Otro punto que debe destacarse es el intento por parte de los países latinoamericanos de maximizar su capacidad de iniciativa frente a las tendencias hacia la regionalización de la economía mundial. La ampliación de mercados a través de la creación de zonas de libre comercio, uniones aduaneras o mercados comunes se transformó en un instrumento para reforzar una salida "exportadora", enfrentar las nuevas condiciones de competitividad internacional y atraer inversiones.

En muchos casos, las negociaciones regionales han previsto calendarios extremadamente apretados para la concreción de sus objetivos. El no cumplimiento de los plazos establecidos puede volver a debilitar la credibilidad de estas iniciativas. Esto es particularmente cierto para las asociaciones más antiguas como el MCCA, el GRAN y el CARICOM. Con la probable excepción del NAFTA, los plazos previstos para la formación de áreas de libre comercio, uniones aduaneras y/o mercados comunes no encuentran contrapartida en esfuerzos de coordinación de políticas macroeconómicas y en condiciones de estabilidad política y/o económica.

Un último punto que es preciso señalar es el impacto de los acuerdos comerciales subregionales sobre el ámbito regional. Dos iniciativas se destacan en este caso: NAFTA y MERCOSUR. Aun antes de concretarse, el primero ha estimulado una reacción defensiva por parte de países y grupos de países en la región. Por un lado, este acuerdo ha sido percibido como la formalización de un proceso de distanciamiento de México respecto de América Latina, particularmente del Cono Sur (con la excepción de Chile). Por el otro, su evolución futura será importante para definir el horizonte del MCCA, del CARICOM y, aun, del Grupo de los Tres.

El impacto del MERCOSUR, por su parte, ha sido creciente. Países como Chile y Bolivia se encuentran en tratativas para incorporarse. En cualquier caso, es probable que esta iniciativa –al igual que el NAFTA– termine reforzando la tendencia hacia la fragmentación y la preferencia por asociaciones minilaterales en América Latina. La única posibilidad de que esta tendencia no se profundice será mediante la formación de un área de libre comercio hemisférica. Previsto para el año 2005, este proyecto deberá, entre tanto, enfrentar varios desafíos políticos y económicos tanto en el sur como en el norte de América.

BIBLIOGRAFÍA

Abreu, Marcelo y Afonso Bevilaqua (1995), "*Macroeconomic coordination and economic integration: lessons for the WHFTA*", Trabajo presentado en el Seminario Internacional sobre "La integración hemisférica en perspectiva", Bogotá, 1-3 de noviembre.

Agosin, Manuel y R. Álvarez (1994), "¿Le conviene a los países de América Latina adherirse al NAFTA?", *Pensamiento Iberoamericano*, N. 26.

ALADI (1994), Comunicados de Prensa. Varios.

Anderson, Kym y Richard Blackhurst, eds., (1993), *Regional integration and the global trading system*, Londres: Harvester Wheatsheaf.

Barbosa, Rubens (1995), "Integração regional e sub-regional: um mecanismo para o crescimento. A Area de Livre Comercio Sul-Americana (ALCSA)", *Revista Brasileira de Comércio Exterior*, N. 42.

Bianchi, E. y J. Robbio (1993), *Tratado de Libre Comercio de América del Norte: desvío de comercio en perjuicio de Argentina y Brasil*, Trabajo no publicado.

BID (1995), *Integración económica en las Américas*, Washington: BID.

Bouzas, Roberto (1995), *El Mercado Común del Sur: estado actual y desafíos de política*, Trabajo presentado en el Seminario Internacional sobre "La integración hemisférica en perspectiva", Bogotá, 1-3 de noviembre.

Bouzas, Roberto y Jaime Ros (1994 a), "The North-South variety of economic integration: issues and prospects for Latin America", en Roberto Bouzas y Jaime Ros, eds., *Economic integration in the Western Hemisphere*, Notre Dame: University of Notre Dame Press.

Bouzas, Roberto (1994 b), "Las relaciones comerciales MERCOSUR-Estados Unidos: elementos para una agenda minilateral", *Documento de Trabajo*, N.4, Buenos Aires: ISEN.

Bresser Pereira, Luis Carlos y Verc Thorstensen (1995), "From MERCOUSR to American integration", en *Trade Liberalization in the Western Hemisphere*, Washington DC: IDB-ECLAC.

Brown, D. A. Deardorff y R. Stern (1992), "A North American Free Trade Agreement: analytical issues and a computational assesment", *World Economy*, Vol. 15.

Butelmann, Andrea (1994), "Elements of Chilean Trade Strategy: The United States or MERCOSUR", en Roberto Bouzas y Jaime Ros, eds., *Economic integration in the Western Hemisphere*, Notre Dame: University of Notre Dame Press.

Cable, V. y Dale Henderson, eds., (1994), *Trade blocks? The future of regional integration*, Londres: The Royal Institute of International Affairs.

CELARE (1995), *Relaciones América Latina-Unión Europea: nuevas perspectivas*, Santiago: CELARE.

CEPAL (1995 a), *Panorama Económico de América Latina*, Santiago de Chile: CEPAL.

——————— (1995 b), *Desenvolvimiento de los procesos de integración en América Latina y el Caribe*, Santiago de Chile: CEPAL.

——————— (1995 c), *Anuario estadístico de América Latina y el Caribe*, Edición 1994, Santiago de Chile: CEPAL.

——————— (1995 d), *Estudio económico de América Latina y el Caribe 1994-1995*, Santiago de Chile: CEPAL.

——————— (1994 a), *Latin America and the Caribbean: policies to improve linkages with the global economy*, Santiago de Chile: CEPAL

——————— (1994 b), *El regionalismo abierto en América Latina y el Caribe. La integración económica al servicio de la transformación productiva con equidad*, Santiago de Chile: CEPAL.

Dookerman, W. (1995), "Preferential Trade Agreements in the Caribbean: issues and approaches", en *Trade Liberalization in the Western Hemisphere*, Washington, DC: IDB-ECLAC.

Erzan, Refik y Alexander Yeats (1992), "A North American Free Trade Agreement: analytical issues and a computational assessment", *World Economy*, Vol. 15.

Financial Times (1995), Financial Times Survey: MERCOSUR, 25/1/95.

Gitli, Eduardo (1995), *Claves del pasado para la nueva integración centroamericana*, Trabajo presentado en el Seminario Internacional sobre "La integración hemisférica en perspectiva", Bogotá, 1-3 de noviembre.

Hallett, Andrew Hugh y Carlos Primo Braga (1994), "The new regionalism and the threat of protectionism", no publicado, noviembre.

Hirst, Monica (1991), "O programa de integração Argentina-Brasil: concepção original e ajustes recentes", en Pedro da Motta Veiga, Org., *Cone Sul: A economia política da integração*, FUNCEX.

———————— (1990): "Continuidad y cambio del programa de integración Argentina-Brasil", *Documentos e Informes de Investigación*, N. 108, Buenos Aires: FLACSO, diciembre.

Hufbauer, Gary Clyde y Jeffrey J. Schott (1994), *Western Hemisphere economic integration*, Washington, DC: Institute for International Economics.

———————— (1993), *NAFTA. An assessment*, Washington, DC: Institute for International Economics.

Hurrell, Andrew (1995), "O ressurgimento do regionalismo na política mundial", *Contexto Internacional*, Vol 17, N. 1.

Hutchinson, Gladstone y Ute Schumacher (1994), "NAFTA's Threat to Central American and Caribbean Basin Exports: a revealed comparative advantage approach", *Journal of Inter-American Studies and World Affairs*, Vol. 36, N. 1, Spring.

IRELA (1995), *El Acuerdo Interregional entre la UE y el MERCOSUR: ¿una nueva estrategia de la UE en América Latina?*, Madrid: IRELA.

———————— (1993), *El Mercado Único Europeo y su impacto en América Latina*, Madrid: IRELA.

Khazeh, Khashayar y Don P. Clark (1990), "A case study of effects of developing country integration on trade flows: the Andean Pact", *Journal of Latin American Studies*, Vol.22, Part 2, Cambridge: Cambridge University Press.

Laird, Samuel (1990), "U.S. Trade Policy and Mexico: simulations of possible trade regime changes", *Working Paper*, Washington, D.C: World Bank.

Lawrence, Robert (1991 a), "Emerging regional arrangements: building blocks or stumbling blocks?", en O´Brien, R., *Finance and The International Economy*, N. 5.

———————— (1991 b), "Perspectivas del sistema de comercio internacional y los países en desarrollo. Consideraciones preliminares", *Pensamiento Iberoamericano*.

Naciones Unidas (1995), *Estudio económico y social mundial 1995*, Nueva York: Naciones Unidas.

Poitras, Guy y Raymond Robinson (1994), "The politics of NAFTA in Mexico", *Journal of Inter-American Studies and World Affairs*, Vol. 36, N. 1, Spring.

Primo Braga, Carlos (1992), "NAFTA and the rest of the world", en Nora Lustig, Barry P. Bosworth, y Robert Z. Lawrence, eds., *North American Free Trade. Assessing the impact*, Washington, D.C: The Brookings Institution.

Reina, Mauricio, Sandra Zuluaga y Cristina Gamboa (1995), *Formas de regionalismo y procesos de especialización en América: El Grupo de los Tres y El Grupo Andino*, Trabajo presentado en el Seminario Internacional sobre "La integración hemisférica en perspectiva", Bogotá 1-3 de noviembre.

Ricupero, Rubens (1995), *Las características de la integración a nivel mundial*, Trabajo presentado en el Seminario Internacional sobre "La integración hemisférica en perspectiva", Bogotá 1-3 de noviembre.

Rosenthal, Gert (1995), "El regionalismo abierto en la CEPAL", *Pensamiento Iberoamericano*, N.26.

Salgado, Germánico (1995), "Modelo y políticas de integración", *Estudios Internacionales*, N. 109.

Serbin, Andrés (1995), "Consenso político e integração na Bacia do Caribe: O Grupo dos Três e a Associação de Estados do Caribe", *Contexto Internacional*, Vol 17, N. 1.

Smith, Peter (1992), "The political impact of Free Trade on Mexico", *Journal of Inter-American Studies and World Affairs*, Vol. 34, N. 1, Spring.

UNCTAD (1995), *Trade and development report*, 1995, New York and Geneva: UNCTAD.

Wonnnacott, Ronald (1995), *The Nafta and other initiatives in Liberalizing Hemispheric Trade*, Trabajo presentado en el Seminario Internacional sobre "La integración hemisférica en perspectiva", Bogotá, 1-3 de noviembre.

WTO (1995), *Regionalism and the World Trading System*, Geneva: WTO.

CAPÍTULO IV

Políticas de seguridad, democratización e integración regional en el Cono Sur*

1. Introducción

La ola de democratización experimentada en la región en los últimos diez años alentó cambios en los conceptos y las prácticas de seguridad dentro de los Estados del Cono Sur y entre ellos. La existencia de valores políticos comunes y desafíos económicos similares contribuyó a poner fin a disputas y rivalidades que, en el pasado, habían entorpecido las iniciativas de cooperación regional.

En realidad, las expectativas existentes a fines de los años ochenta vislumbraban que la cooperación en el campo de la seguridad, junto con la integración económica y la coordinación política conducirían a un proceso irreversible. De allí que numerosos analistas consideraron apropiado utilizar el enfoque de la paz interdemocrática de inspiración kantiana para explicar los nuevos emprendimientos cooperativos en la región, particularmente los

* Trabajo presentado en el Inter-American Peace, Security and Democracy-Planning Workshop, organizado por Inter-American Dialogue, Washington DC, 6 de septiembre de 1995.

acuerdos entre la Argentina y Brasil.[1] Aunque este análisis no ha quedado totalmente invalidado, las expectativas sobre el impacto de la democratización en las relaciones intra-regionales en el Cono Sur han disminuido en los últimos tiempos.

De hecho, algunos análisis pesimistas han sugerido que la consolidación democrática en esta subregión podría significar un retorno al dilema de seguridad.[2] Pese a que las evidencias en este sentido son bastante discutibles, es conveniente reexaminar el rol de la democratización en las relaciones interestatales del Cono Sur. También es importante considerar, junto al cambio del tipo de régimen político, otros factores que inciden sobre las nuevas realidades de las relaciones intra-regionales.

En el pasado, las hipótesis de conflicto regional constituían una parte sustancial de las doctrinas de seguridad que justificaban la expansión de los gastos militares y el mantenimiento de prerrogativas políticas por parte de las fuerzas armadas de los países del Cono Sur. En los últimos diez años, la democratización ha restringido la gravitación política de los militares y tales doctrinas han sido desactivadas en casi todos los casos. Sin embargo, la cultura política subyacente a las hipótesis de conflicto no ha desaparecido totalmente, adecuándose a las nuevas circunstancias internas e internacionales.

Como señala Bruce Russett "los gobiernos y las instituciones políticas pueden cambiar rápidamente después de una revolución, pero las prácticas requieren tiempo para evolucionar. Las leyes pueden cambiar más rápido que las prácticas en las cuales se basan las normas. Normas formales tales como la de no recurrir a la guerra pueden ser escritas en una Constitución, pero sólo pueden volverse efectivas con la práctica reiterada de negociación y conciliación".[3]

La paz inter-democrática es un concepto ambiguo en el Cono Sur. En primer lugar, las negociaciones intra-regionales más impor-

---

[1] Ver Philippe Schmitter (1991). Para un análisis general de la teoría del internacionalismo liberal de Kant, ver Michael Doyle (1983).

[2] Ver Carlos Acuña y William Smith (1994).

[3] Bruce Russett (1993), p. 34.

tantes, en las que estuvieron involucrados intereses estratégicos y disputas territoriales, se iniciaron durante el último período de gobiernos militares. Los ejemplos más relevantes son el Tratado Itaipú-Corpus en 1979 y el Tratado de Paz y Amistad entre la Argentina y Chile en 1985.[4]

En segundo lugar, existe una clara vinculación entre el recorte de los gastos militares y la crisis económica de los años ochenta que precipitó reducciones presupuestarias y políticas de "achicamiento" del Estado.[5] Aun cuando la transición y la consolidación democráticas favorecieron estas reducciones, su principal motivo fue económico.

En tercer lugar, el vínculo entre cooperación en materia de seguridad y democratización no puede comprenderse separado de los recientes avances en la integración subregional. De hecho, las iniciativas de cooperación en materia de seguridad a partir de mediados de la década del ochenta estuvieron directamente relacionados con la intensificación de los vínculos económicos argentino-brasileños. Estas iniciativas formaban parte de un paquete de acuerdos en el cual el comercio administrado y la cooperación tecnológica fueron parte de una única estrategia.[6] En consecuencia, los acuerdos de integración económica contribuyeron a legitimar las políticas de cooperación en el campo de la seguridad. Este proceso ha sido profundizado aún más con la constitución del MERCOSUR que aceleró la integración económica mediante la creación

[4] En 1979, la Argentina y Brasil firmaron el Tratado de Itaipú-Corpus que puso fin a la disputa sobre la explotación de los recursos hidroeléctricos del río Paraná. A su vez, en 1984, la Argentina y Chile firmaron el Tratado de Paz y Amistad que resolvió el conflcito en torno al canal de Beagle.

[5] Según el International Institute for Strategic Affairs (IISA), el gasto de defensa promedio en 19 países latinoamericanos se redujo en 35.2 % entre 1985 y 1990. Los gastos en defensa de América del Sur son inferiores a los de cualquier otra región en el mundo. El gasto en defensa en la Argentina cayó desde casi el 7% del PBI a aproximadamente el 3% a lo largo de esta década. Ver Patrice Franko (1994).

[6] El Programa de Integración y Cooperación Económica de la Argentina y Brasil (PICE) abarcó un conjunto de acuerdos en el campo económico (incluyendo bienes de capital, comercio, trigo, abastecimiento alimentario, industria del hierro y el acero, industria automotriz) y en el campo tecnológico-militar (incluyendo energía nuclear e industria de armamentos). Las negociaciones también comprendieron la cooperación tecnológica en informática y biotecnología.

de mecanismos automáticos para la eliminación de las barreras comerciales intra-regionales.

Además de los aspectos vinculados con el ámbito interno y regional también es necesario tener en cuenta la poca relevancia estratégica de esta región en los asuntos globales. A diferencia de otras subregiones en el mundo y aun en América Latina, el Cono Sur no enfrenta amenazas regionales o extra-regionales que ponen en riesgo su seguridad. El Cono Sur ocupa un lugar marginal en la agenda estratégica mundial ya que no existen conflictos étnicos o religiosos como en Europa central o en otras áreas del Tercer Mundo. Esta subregión tampoco ha sido considerada un área prioritaria por las grandes potencias –especialmente por los Estados Unidos– y con toda probabilidad continuará ocupando esta posición. Aun cuando la marginación estratégica provocó costos económicos para los países sudamericanos, también redujo el impacto de las diferencias intra-regionales en políticas de seguridad.

Para comprender las tendencias fundamentales de las políticas de seguridad del Cono Sur se deben contemplar tres dimensiones: la dimensión interna, la internacional y la regional. En el nivel interno, es necesario reflexionar sobre los diferentes patrones de relación cívico-militar post-autoritarios que han tenido lugar en el Cono Sur. En el nivel internacional, se deben considerar las opciones de política exterior de los países de la región. Finalmente, cabe examinar la política regional que, pese a encontrarse influenciada por las dos dimensiones anteriores, ha asumido una dinámica específica, generada por relaciones intergubernamentales e intersocietales presentes y pasadas.

2. La dimensión interna

La etapa de transición democrática

Las relaciones cívico-militares correspondientes al período de transición democrática han tenido un impacto directo sobre los cambios y las continuidades de las políticas de seguridad en la región. No obstante el hecho de que todos los países en el Cono Sur han experimentado procesos de redemocratización, las relaciones cívico-militares han evolucionado de manera diferente en cada caso.

El diferente grado de autonomía y el poder político de las fuerzas armadas en la Argentina, Brasil, Chile, Paraguay y Uruguay ha variado de acuerdo con las prerrogativas militares o con los nuevos conceptos de seguridad. La especificidad de las relaciones cívico-militares en cada país, producto de negociaciones internas y presiones internacionales que tuvieron lugar durante las etapas de transición y consolidación democráticas se ha reflejado en opciones diferenciadas de política exterior. Estas diferentes opciones en las relaciones exteriores, particularmente entre la Argentina y Brasil, han generado un proceso de politización en el ámbito de la política regional.

En el caso de la Argentina, el colapso del régimen militar, causado por la derrota de la Guerra de Malvinas, junto con una desastrosa política económica fue acompañado por un fuerte desprestigio del poder militar. La difícil situación cívico-militar de la transición democrática postergó un debate interno sobre el rol de las fuerzas armadas en un contexto político pluralista. Durante esta fase (1983-1989) la Argentina mantuvo su anterior política de defensa, aunque ajustada a las premisas de la política exterior del gobierno de Alfonsín. Inicialmente, la designación de un Ministro de Defensa civil no fue fácilmente aceptada por las fuerzas armadas argentinas, ya que la subordinación a las autoridades civiles era percibida como una injusta capitulación. Los militares argentinos sostenían que si bien habían perdido una guerra externa, habían ganado una guerra interna.[7]

Durante la fase de transición democrática, los militares argentinos fueron excluidos de la toma de decisiones en política exterior. No obstante, las fuerzas armadas lograron preservar cierta influencia en cuestiones de seguridad internacional. La percepción de la autonomía tecnológica como una prioridad para el nuevo gobierno democrático generó un interés común entre las autoridades civiles y militares sobre la necesidad de mantener la industria de armamentos y los programas de tecnología sensible. Sin embargo, las precarias condiciones macroeconómicas afectaron severamente los proyectos de la industria de arma-

---

[7] Ver Andrés Fontana (1987).

mentos, obligando a disminuir su producción o bien a posponer gran parte de su actividad.[8]

Considerado por varios analistas como un proceso de transición "incompleto", el régimen democrático chileno, inaugurado con el gobierno del presidente Patricio Aylwin (1990), fue uno de los menos exitosos de la región en subordinar el poder militar a la autoridad civil.[9] Fortalecidos por un desempeño macroeconómico exitoso, los militares chilenos lograron retener prerrogativas políticas y ventajas económicas que limitaron enormemente el poder de las autoridades civiles. Estas prerrogativas formaron parte de las precondiciones negociadas entre civiles y militares para poner en marcha la transición a la democracia. De este modo, las fuerzas armadas chilenas mantuvieron un control absoluto sobre la política de defensa que les permitió continuar con una próspera y diversificada industria de armamentos.[10]

Contrariamente a la experiencia argentina, la transición democrática brasileña fue la más larga en el Cono Sur. En este caso, la democratización resultó un proceso menos doloroso para las fuerzas armadas que mantuvieron importantes prerrogativas en la política interna y la política de defensa. Aún, las fuerzas armadas brasileñas preservaron su prestigio interno debido a los resultados de su gestión económica.[11]

En el caso de Brasil, el desarrollo de un consenso cívico-militar con respecto al modelo económico del país sobrevivió al cam-

[8] Los únicos programas mantenidos integramente fueron el desarrollo y la construcción del prototipo del misil Cóndor II y el avión de entrenamiento Pampa 2000. Ver Carlos Acuña y William Smith (1994), p.13

[9] Ver Brian Loveman (1991), y Arturo Valenzuela (1989).

[10] Esas negociaciones incluyeron una amnistía para los crímenes políticos cometidos entre 1973 y 1978, una política de defensa autónoma, un Banco Central independiente, la no investigación sobre el proceso de privatización anterior y la transferencia automática del 10 % de las exportaciones de cobre a las fuerzas armadas. En 1986, la Ley del Cobre fue reemplazada por una "Ley reservada" que duplicó la contribución mínima desde $90 a $180 millones. En el caso de que las exportaciones del cobre sean insuficientes para cubrir esta contribución mínima, la enmienda de 1986 fija que el Estado deberá compensar la diferencia a las fuerzas armadas. Ver Carlos Acuña y William Smith (1994), p.16. Ver también Brian Loveman (1991).

[11] Ver Lourdes Sola (1993) y Geraldo Cavagnari Filho (1987).

bio de régimen político. Este consenso ayuda a explicar por qué los cambios en la política exterior brasileña fueron menos significativos que los experimentados por otros vecinos del Cono Sur, particularmente la Argentina y Uruguay.[12] Fue en este contexto que una exitosa política de exportación permitió a los militares brasileños desarrollar una industria de armamentos que los ubicó entre los diez mayores exportadores en el mercado internacional de armas a mediados de los años ochenta.

Durante el gobierno de Sarney (1985-90) la subordinación militar a las autoridades civiles evolucionó muy gradualmente. La nueva Constitución de 1988 determinó los límites de esta subordinación.[13] La presencia formal de las autoridades militares en el gobierno continuó inalterable, lo que les aseguró un poder de veto implícito. En consecuencia, los costos generados por las nuevas reglas del juego democrático fueron reducidos para las fuerzas armadas brasileñas. En cuanto a la política exterior, las modificaciones introducidas fueron el resultado de cuidadosas negociaciones entre el Ministerio de Relaciones Exteriores y las autoridades militares.[14]

Las fuerzas armadas brasileñas también defendieron hábilmente sus intereses en otras esferas gubernamentales. En el Ministerio de Ciencia y Tecnología se observaron intereses mutuos entre la comunidad científica y la militar para proteger la autonomía tecnológica.[15] Del mismo modo, los militares lograron expandir su presencia en la región amazónica, un área que se convirtió en una preocupación creciente para las fuerzas armadas brasileñas. Aún más, los militares brasileños aprendieron a defender sus intereses en el Congreso, buscando aliados entre los partidos políticos con el fin de influir iniciativas en el campo de seguridad, subordinadas a la aprobación legislativa.

[12] Ver Monica Hirst y Roberto Russell (1987).

[13] Según el artículo 142 de la Constitución de 1988 las Fuerzas Armadas son responsables por la defensa nacional y la protección de los poderes constitucionales. Este artículo establece que la ley y el orden serán defendidos de conformidad con los poderes constitucionales.

[14] Dos ejemplos ilustrativos son el restablecimiento de relaciones diplomáticas con Cuba en 1987 y los acuerdos de cooperación nuclear negociados con la Argentina desde 1986.

[15] Ver, por ejemplo, Emanuel Adler (1987).

En este cuadro, Itamaraty debió asumir el rol de mediador entre las presiones internacionales y domésticas en las decisiones concernientes a seguridad internacional y a tecnología, como se observó en la disputa con los Estados Unidos sobre informática y la profundización de la cooperación nuclear con la Argentina.[16] En ambos casos el principal objetivo del Ministerio de Relaciones Exteriores fue el de flexibilizar las posiciones nacionalistas de los militares brasileños.

Aunque Uruguay y Paraguay juegan un rol menor en la política de seguridad del Cono Sur, es importante subrayar ciertos aspectos vinculados a los desarrollos recientes en las relaciones cívico-militares en ambos países. Uruguay ha sido el caso más exitoso de adhesión rápida y no traumática de los militares a la democracia, ya que sus fuerzas armadas han logrado preservar una función institucional con una interferencia muy limitada en la política interna.[17] En el caso de Paraguay, en cambio, subsiste cierta tensión e incertidumbre en las relaciones cívico-militares dado que la adhesión de las fuerzas armadas a los valores democráticos ha sido lenta y limitada.

La etapa de consolidación democrática

La consolidación de las instituciones democráticas en el Cono Sur ha sido un proceso tan difícil como el reemplazo de regímenes militares por regímenes civiles. En la Argentina y Brasil, la consolidación democrática fue un logro político costoso con diferentes efectos sobre las relaciones cívico-militares de ambos países.

La Argentina representa la experiencia más efectiva de subordinación militar al control civil durante la etapa de consolidación democrática. Cabe destacar en este caso que el fracaso de las rebeliones militares acentuó la desmoralización de las fuerzas armadas *vis-à-vis* la sociedad civil. Este hecho generó las condiciones políticas para completar el proceso de subordinación militar a la autoridad civil llevado

---

[16] Ver Monica Hirst y Maria Regina Soares de Lima (1990).
[17] Ver Charles Gillespie y Luis González (1989), Aldo Solari (1991) y Juan Rial (1991).

a cabo por el gobierno de Menem.[18] A cambio, se dictó una controvertida ley de amnistía que dejó en libertad a las autoridades militares, juzgadas durante la administración de Alfonsín por las violaciones a los derechos humanos cometidos durante el período autoritario.

Este proceso se vio reforzado por los programas de privatización y racionalización del Estado que llevaron a la desactivación de la mayoría de los programas de tecnología militar que habían sobrevivido durante el gobierno de Alfonsín. Por otra parte, la audaz política militar del presidente Menem estuvo también asociada a su nueva política exterior. Así, el abandono de los programas de tecnología militar y la adopción de nuevas posiciones en materia de seguridad internacional deben ser interpretados como señales de una relación más estrecha con Estados Unidos.

Tres factores influyeron sobre el nuevo patrón de relaciones cívico-militares en la Argentina: primero, los resultados positivos del programa de estabilización económica; segundo, un fuerte liderazgo presidencial; y, tercero, el apoyo explícito otorgado por Estados Unidos a la política militar del gobierno de Menem. Para ciertos sectores militares argentinos, el actual gobierno ha renunciado "de facto" a una política de defensa nacional.[19] Si bien las fuerzas armadas de este país han aceptado un rol marginal en la política interna y externa, recientes episodios de "mea culpa" por los excesos cometidos durante el último régimen militar demuestran un esfuerzo por mejorar la comunicación con la sociedad civil argentina.[20]

En Chile y Brasil, las relaciones cívico-militares han sido más complejas que en la Argentina. En el caso de Chile, las relaciones

[18] Las rebeliones militares que tuvieron lugar en la Argentina durante la transición democrática fueron: Campo de Mayo, encabezada por el coronel Aldo Rico (abril 1987); Monte Caseros (Corrientes) liderada por simpatizantes de Aldo Rico (enero 1988); Villa Martelli (Bs. As.) encabezada por el coronel Seineldin (diciembre 1988); Palermo (Bs. As.) liderada por oficiales de rango medio (diciembre 1990).

[19] Esta conclusión se basa en entrevistas de la autora con oficiales de las fuerzas armadas argentinas.

[20] El "mea culpa" consistió en una serie de declaraciones oficiales realizadas a principios de 1995 en las que autoridades de las fuerzas armadas argentinas reconocen sus responsabilidades por las violaciones a los derechos humanos durante el período del régimen militar.

cívico-militares constituyen un capítulo no resuelto de la democratización del país. La violación de los derechos humanos durante los años de la dictadura y la resistencia de los militares a renunciar a las prerrogativas aseguradas en 1989, mediante negociaciones con las fuerzas políticas para acordar la transición a la democracia, continúan siendo temas delicados en la política interna de Chile. Estos compromisos, respaldados por una coalición derechista, son percibidos por las fuerzas armadas como parte de un acuerdo de largo plazo más que como condiciones transitorias. Por otra parte, sigue inalterable el control absoluto de los militares sobre las industrias de armamentos y la política de defensa.[21]

En síntesis, los militares chilenos han preservado una considerable autonomía política, debido a dos factores claves: primero, la independencia económica de la que gozan las Fuerzas Armadas gracias a la Ley del Cobre, y segundo, el apoyo proveniente de influyentes sectores de la sociedad civil que perciben la presencia de los militares en el sistema político como una fuente de estabilidad económica e institucional. No obstante, la persistencia de una estructura política dual ha generado un clima político tenso que inevitablemente afecta la consolidación democrática. Desde el inicio del gobierno de Eduardo Frei en 1994 ha habido intentos por investigar los abusos a los derechos humanos ocurridos durante el régimen de Pinochet que han enrarecido el clima político y tensado las relaciones cívico-militares. El principal desafío enfrentado por el gobierno de Frei ha sido la aprobación por el Congreso de una reforma política que recorte las prerrogativas de los militares y presente una solución para el tema de los derechos humanos. Entre tanto, la resistencia a su aprobación por parte de los partidos derechistas muestra la dificultad que prevalece en este país para alcanzar una reconciliación nacional definitiva.

[21] En junio de 1995, el general Manuel Contreras, ex jefe de la policía secreta del régimen de Pinochet (DINA) fue declarado culpable por el asesinato del exministro de Relaciones Exteriores del gobierno de Salvador Allende, Orlando Letelier en Washington (1976). Pero Contreras se resistió hasta último momento a cumplir la condena, y contó con el apoyo de miembros de las fuerzas armadas para evitar su detención. Este hecho provocó un nuevo pico de tensión en las relaciones cívico-militares chilenas.

Brasil es un caso diferente de los dos anteriores. No constituye ni un ejemplo de cambio drástico como el argentino ni uno de continuidad forzada como el chileno. Hoy en día, las fuerzas armadas brasileñas son una poderosa corporación que ha adecuado sus prácticas políticas a las actuales reglas del juego democrático.[22] De este modo, los militares se han convertido en un actor relevante de las políticas interna y externa, reaccionando cuando perciben que son afectados sus intereses corporativos y lineamientos básicos de la política de defensa.

Cuando se inició la etapa de consolidación democrática brasileña se generó la expectativa de una subordinación militar más efectiva al poder civil. Esta expectativa se vinculó con un conjunto de medidas anunciadas por el gobierno de Collor de Mello (1990-92); entre ellas: el control civil y una drástica reducción de los programas de tecnología militar, la adhesión de Brasil a todos los regímenes internacionales de no proliferación, y la integración de los tres ministerios militares preexistentes en un Ministerio de Defensa encabezado por un funcionario civil. Dichas medidas buscaban una mayor transparencia de los programas de tecnología militar *vis-à-vis* la sociedad civil brasileña y disminuir la exposición de Brasil a las presiones internacionales a favor de la no proliferación, particularmente de Estados Unidos.

Asimismo, se esperaba que el Ministerio de Relaciones Exteriores, a partir de un cambio en su sistema de creencias, liderara los cambios en la política de seguridad internacional de Brasil. Igual que en la Argentina, los nuevos objetivos de seguridad de Brasil obedecían a nuevas orientaciones políticas y económicas tanto en el nivel interno como en el internacional. De este modo, el abandono de las viejas ideologías y políticas estatistas daría lugar a un conjunto de medidas de liberalización y estabilización económica.

Pronto se observó una gran dificultad para implementar todos los cambios anunciados por el gobierno de Collor debido a la fragilidad de sus bases de apoyo interno. La resistencia de las elites

---

[22] Para una visión actual del pensamiento post-autoritario de los militares brasileños ver Mario Cesar Flores (1992).

políticas y económicas a las reformas neoliberales, junto con un rechazo general de la ciudadanía respecto de los abusos de poder del nuevo presidente y sus colaboradores más cercanos terminaron conduciendo a un "impeachement" contra el Presidente.

Cuando el vicepresidente Itamar Franco reemplazó a Collor de Mello, Brasil enfrentaba una grave crisis de gobernabilidad agravada por un profundo desorden macroeconómico. En este contexto, el Congreso se convirtió en un actor político destacado del proceso de consolidación brasileño. Cabe señalar que en los momentos en que Brasil se vio envuelto en una seria crisis institucional, las fuerzas armadas tomaron distancia de la política interna, actuando como defensores de la continuidad del orden democrático.

Una vez que el gobierno de Itamar Franco logró cierta estabilidad, la política interna en Brasil reveló una dinámica en la cual se registraron simultáneamente tendencias de continuidad y cambio. Con el éxito de las medidas de estabilización económica, el gobierno de Itamar Franco mejoró su credibilidad interna y externa. Aunque la estabilización económica se logró mediante un conjunto importante de medidas neoliberales, el nuevo gobierno no sufrió un giro ideológico que diera lugar a cambios drásticos en la política interna y externa. Se abandonó el plan de Collor de modificar las relaciones cívico-militares y se reconoció a las fuerzas armadas como un actor relevante del proceso de consolidación democrática del país, lo que les permitió conservar una influencia significativa sobre las premisas y las prácticas de la política de defensa.

Actualmente, es probable que ocurran ajustes en las relaciones cívico-militares en Brasil, aunque no se prevé que el gobierno de Cardoso (1995-1999) implemente cambios significativos. En todo caso, estas modificaciones serán el resultado de un proceso de negociación antes que de una imposición presidencial, como se intentó durante el período de Collor. Si bien el gobierno de Cardoso ha sido muy cuidadoso respecto de las prerrogativas militares, también ha manifestado su voluntad de mantener cierta cuota decisoria en lo referente a las relaciones cívico-militares. Un ejemplo en este sentido fue la iniciativa del Poder Ejecutivo de enviar al Congreso un proyecto de ley que determina que los familiares de desaparecidos durante el período autoritario sean indemnizados. Esta cuestión fue un tema tabú para las fuerzas armadas desde la aprobación de la Ley de Anmistía en 1979.

El resurgimiento de la idea de crear un Ministerio de Defensa se encuadra en un contexto de amplias negociaciones en las que la racionalización burocrática y la mejora de la imagen internacional de Brasil parecen ser los motivos más importantes (por encima de la subordinación cívico-militar). Al mismo tiempo, el poder de presión de las fuerzas armadas brasileñas quedó de manifiesto con el incremento salarial logrado por los militares, lo mismo que su capacidad para expresar sus opiniones y preocupaciones en todos los asuntos de política exterior relacionados con las políticas de defensa. La conexión entre la política internacional y los intereses de seguridad se tornó la principal función de la Secretaría de Asuntos Estratégicos, que se ha convertido en una prestigiosa agencia en el gobierno de Cardoso.[23]

Las relaciones cívico-militares en Uruguay y Paraguay han mantenido más o menos el mismo perfil que en la etapa de transición democrática. En Uruguay, el principal problema de los militares reside en sus limitados recursos económicos para consolidar una misión institucional. Durante el gobierno de Lacalle (1990-1995), los recortes presupuestarios restringieron seriamente las actividades de todos los sectores de las fuerzas armadas uruguayas, imponiendo mayores reducciones de personal de alto rango y de adquisiciones de nuevo equipamiento.[24] Como compensación, el gobierno de Uruguay ha expandido la participación del país en mi-

[23] La Secretaría de Asuntos Estratégicos fue creada en 1990 por el presidente Collor luego del desmantelamiento del Servicio Nacional de Inteligencia. La Secretaría de Asuntos Estratégicos tiene rango ministerial y es responsable por los asuntos domésticos e internacionales que son considerados de importancia estratégica para Brasil.

[24] La Armada y la Fuerza Aérea uruguayas afrontaron los mayores recortes presupuestarios, afectando el cumplimiento de los objetivos y las misiones de las fuerzas armadas. La Armada posee equipamiento para atender el desarrollo profesional durante 10 años, pero con un bajo desempeño en algunas de sus tareas esenciales como el control costero. De acuerdo con algunos autores, la Armada y la Fuerza Aérea uruguayas corren el riesgo de desaparecer en un futuro cercano. Ver Juan Rial (1993).

siones de paz de la ONU y creó una Academia de Entrenamiento de Fuerzas de Paz en 1994.[25]

En Paraguay, se han logrado pocos progresos en reducir el poder político y las prerrogativas de los militares.[26] El presidente Wasmosy (1993-1998) ha sido reacio a aceptar presiones de la oposición para separar la política partidaria (el Partido Colorado) de los asuntos militares, perpetuando así la idea de que el fortalecimiento de las instituciones civiles podría provocar un golpe militar. Asimismo, la voluntad del actual gobierno por combatir la corrupción dentro de las fuerzas armadas paraguayas y su creciente participación en el tráfico de drogas ha sido bastante limitada.

En todos los casos analizados, las políticas de defensa resultan de la combinación entre el patrón de relaciones cívico-militares y la política exterior. En cada caso, sin embargo, la política internacional ha influenciado de manera diferente las políticas de seguridad.

3. La dimensión externa

Las políticas de seguridad de los países del Cono Sur, del pasado y del presente, han estado directamente vinculadas con sus políticas exteriores. El fin de la Guerra Fría introdujo importantes cambios en esta vinculación para la Argentina y Brasil, y en menor grado para Chile. En Uruguay y Paraguay, aunque los cambios políticos globales han repercutido en las premisas y las prácticas de las políticas exteriores, sus efectos sobre las políticas de seguridad han sido menos relevantes para la política regional.

Aun cuando el fin de la Guerra Fría ha sido considerado un fenómeno positivo por todos los países de la región, este hecho no condujo a una interpretación similar de las transformaciones ocu-

[25] Uruguay ha participado en el Grupo de Observación Militar de la ONU en Iran-Irak (UNIMOG) desde 1988 hasta 1990; y en el Grupo de Observación Militar de la ONU en Irak-Kuwait (UNIKOM) desde 1991. También ha participado en el UNTAC (Camboya) desde 1992 y en la Misión de Observadores de la ONU en Mozambique (ONUMOZ) desde 1993.

[26] Ver Marcial A. Riguelme (1994).

rridas en el sistema internacional. Como consecuencia, las políticas exteriores de la Argentina y Brasil fueron menos convergentes que durante la última etapa de la Guerra Fría. A partir de 1989, el cambio en la estructura de poder mundial dio lugar a percepciones divergentes sobre sus costos y beneficios, que generaron una nueva fuente de tensión en las relaciones intra-regionales.

En este caso resulta apropiada la distinción "cualitativo-cuantitativo" utilizada para interpretar el nuevo orden internacional. Como señalan Holm y Sorensen existen dos interpretaciones respecto de las recientes transformaciones globales. Una considera que hubo un cambio cualitativo en la política internacional, mientras que la otra disminuye el alcance y el nivel de las transformaciones ocurridas sosteniendo que "(...)el fin de la Guerra Fría sólo significa cambios en la distribución de poder dentro de un sistema anárquico de Estados (...)".[27] La Argentina, y Chile en cierto grado, han reformulado sus políticas exteriores a partir de la percepción de un mundo notoriamente diferente del de la Guerra Fría. Ambos países se han convertido en fuertes defensores de iniciativas multilaterales que propicien nuevas condiciones de gobernabilidad regional. Estas iniciativas promovidas en nombre de un mayor institucionalismo regional están al mismo tiempo orientadas a fortalecer los vínculos políticos con los Estados Unidos. Brasil, por su parte, reconoce los cambios provocados por el fin de la Guerra Fría aunque está más preocupado por la distribución de poder que aún prevalece en la sociedad internacional.

La política exterior de la Argentina ha seguido premisas muy diferentes durante los períodos de transición y consolidación democrática. El gobierno de Menem percibió el fin del sistema bipolar como una oportunidad para redefinir objetivos de política internacional. Entre los nuevos objetivos se destaca la búsqueda de una relación más estrecha con los Estados Unidos. Tanto las decisiones de política exterior como de la política de seguridad han estado fuertemente influidas por esta premisa. Esto explica la decisión argentina de apoyar a los Estados Unidos en numerosas iniciativas multilaterales y unilaterales así como su interés de establecer un vínculo

---

[27] Ver Hans Holm y Georg Sorensen (1995).

con la OTAN.[28] En diferentes ocasiones esta orientación pro-norteamericana distanció a la Argentina del resto de América Latina, particularmente en asuntos de seguridad. Ejemplos en este sentido han sido el respaldo argentino contra la intervención militar en Haití y a la exclusión de Cuba del Sistema Interamericano.

Igual que en el período de gobierno de Alfonsín, las relaciones exteriores del gobierno de Menem han sido conducidas por un canciller ajeno al cuerpo diplomático, operando con el apoyo de asesores de confianza, diplomáticos profesionales y aliados políticos. Además, como ocurrió durante la transición democrática, la política internacional de la Argentina ha sido identificada como una política partidaria. Sin embargo, a diferencia de Alfonsín, Menem ha abandonado las tradicionales premisas de política exterior de su partido. En lo referente a las cuestiones de seguridad, el Ministerio de Relaciones Exteriores ha contado con la colaboración del Ministerio de Defensa, aunque el entendimiento entre ambas agencias gubernamentales no fue siempre fácil. La cuestión más importante compartida por ambos Ministerios ha sido la participación de la Argentina en operaciones de paz de la ONU.

En Brasil, la política exterior y la de seguridad internacional se han desarrollado de modo diferente de las de la Argentina. El tratamiento de los asuntos internacionales de Brasil ha sido fundamentalmente el resultado de una compleja interacción entre determinantes externos y las percepciones e intereses internos. Aunque ocasionalmente el Ministerio de Relaciones Exteriores ha estado dirigido por funcionarios no diplomáticos, la corporación diplomática logró preservar su influencia y legitimidad como el principal actor en la toma de decisiones de política exterior. El protagonismo de Itamaraty se ha apoyado en un sistema de creencias que ha caracterizado la política exterior de Brasil desde mediados de los años setenta.[29] En los últimos años Itamaraty logró conservar un importante nivel de autonomía al tiempo que expandió gradual-

---

[28] Ver Carlos Escudé y Andrés Fontana (1995).
[29] Para examinar la importancia de las ideas en estrategias gubernamentales y la influencia de los sistemas de creencias sobre la política exterior, ver Judith Goldstein y Robert O. Keohane (1993).

mente su interacción con grupos societales y otras agencias gubernamentales.

Aunque breve y desafortunado, el gobierno de Collor tuvo un impacto importante sobre las elites económicas y políticas de Brasil que quebró el sistema de creencias de Itamaraty.[30] Durante el gobierno de Collor se dieron los primeros pasos destinados a establecer una relación cooperativa con los Estados Unidos que conllevaba cambios significativos en las políticas de seguridad internacional. De esta manera se alcanzaron compromisos de no proliferación nuclear sin precedentes que tuvieron un impacto significativo sobre la política regional.[31]

Pero desde la Guerra del Golfo los cambios introducidos en materia de seguridad internacional evolucionaron muy lentamente. A partir de entonces, la política exterior de Brasil inició un proceso de reacomodamiento en el cual las transformaciones estratégicas globales repercutieron pero no lograron alterar la esencia de la política exterior brasileña. No obstante, los cambios impulsados por el gobierno de Collor debilitaron el sistema de creencias de Itamaraty y estimularon un debate inusual entre los diplomáticos brasileños que condujo a una diferenciación de percepciones en el ámbito diplomático, mostrando al mismo tiempo que Itamaraty ya no era más una agencia aislada de la política interna.[32]

La política exterior brasileña del gobierno de Itamar Franco sufrió un proceso de ajuste, influido por dos factores: primero, el impacto positivo de las medidas de estabilización económica sobre los asuntos internacionales del país; segundo, el restablecimiento de la creencia que la continuidad y el consenso eran esenciales para lograr credibilidad internacional. Por ello, las nuevas prioridades

[30] Para una evaluación general de la política exterior de Collor de Mello, ver Ademar Seabra de Cruz Jr., Antonio Ricardo Cavalcante y Luiz Pedone (1993). Ver también Monica Hirst y Leticia Pinheiro (1995).

[31] Las principales decisiones en este caso fueron: la negociación de un acuerdo de salvaguardas nucleares completas con la Argentina, la revisión para la aplicación completa del Tratado de Tlatelolco y la preparación de un proyecto de ley para el control de exportaciones de armas y de tecnología sensitiva.

[32] Ver Maria Regina Soares de Lima (1994). Ver también Paulo Nogueira Batista (1993).

de política exterior y las percepciones de Brasil respecto del nuevo orden mundial fueron gradualmente ajustadas. Las prioridades de la política exterior brasileña eran: la participación activa en el MERCOSUR, la creación de un Área de Libre Comercio Sudamericana (ALCSA), relaciones estrechas con otras potencias regionales (China, India y Rusia) y una relación menos conflictiva con Estados Unidos.

Desde la asunción del presidente Cardoso, la política exterior de Brasil se ha vuelto menos hostil a la idea de un cambio cualitativo en la política mundial. Cardoso, ex-ministro de Relaciones Exteriores del gobierno de Itamar Franco, ha demostrado su intención de mantener la preeminencia de Itamaraty en la formulación e implementación de la política exterior del país, pero sumando su liderazgo personal en la conducción de los asuntos internacionales de Brasil. De acuerdo con su visión, la política internacional de Brasil debe apoyarse en cuatro alianzas estratégicas, con: Estados Unidos, la Argentina, Alemania y Japón.

Pese a haber admitido cambios importantes en el sistema internacional, los ejecutores de la política exterior de Brasil han sido renuentes a adherir a un enfoque globalista de la política mundial. Algunos diplomáticos brasileños han sostenido que ésta no es una era global, sino una era de *exclusión* y de concentración de poder, con tensiones crecientes entre el Norte y el Sur.[33] Al mismo tiempo, un sector relevante en Itamaraty cree que Brasil debe reemplazar su postura defensiva por una posición ofensiva positiva en la cual la idea de inclusión debería estar vinculada con una reforma plena de las instituciones internacionales.

En este contexto, Brasil ha flexibilizado su discurso oficial sobre las tensiones Norte-Sur, buscando desempeñar el rol de un "constructor de consenso"entre ambos extremos de la comunidad internacional.[34] Desde esta perspectiva, Brasil lleva adelante una campaña para lograr un asiento permanente en el Consejo de Seguridad de la ONU. La candidatura brasileña se basa en la idea de que el Consejo de Seguridad de la ONU debe poseer una represen-

[33] Ver Carlos Augusto Santos Neves (1993).
[34] James Hoge (1995), p. 68.

tación más equitativa del Norte y del Sur para aumentar su legitimidad y eficacia en los asuntos mundiales. El ajuste gradual de las premisas de la política exterior de Brasil ha sido particularmente complejo en los asuntos de seguridad internacional. Simultáneamente expuesta a presiones internas y externas, la seguridad internacional es el terreno más sensible de la agenda externa de Brasil.

En el frente internacional, la principal fuente de tensión reside en las diferencias entre los Estados Unidos y Brasil, especialmente las concernientes a tecnología sensible. Luego de haber expandido sus compromisos regionales en relación con los regímenes de no proliferación, el actual gobierno brasileño logró la aprobación de una ley, por parte del Congreso, para controlar las exportaciones de tecnología sensible. Este hecho permitió la adhesión de Brasil al Régimen de Control de Tecnología Misilística (MTCR), una decisión impulsada por el gobierno de Cardoso. En cuanto a la adhesión al Tratado de No Proliferación (TNP), ésta es considerada innecesaria por el gobierno brasileño por haber firmado previamente el Tratado Nuclear Cuatripartito con la Argentina y la Agencia Internacional de Energía Atómica (AIEA). Entre tanto, Brasil continua reclamando el derecho para acceder a tecnología misilística con fines pacíficos "(...)porque ésta representa la vanguardia de la ciencia y la tecnología".[35] Pero el gobierno de los Estados Unidos y la opinión pública internacional observan los programas de tecnología dual de los países del Tercer Mundo con gran desconfianza.

Las diferencias entre Brasil y los Estados Unidos respecto de los asuntos de seguridad se han manifestado también en el contexto interamericano dado que Brasil se ha resistido a ampliar los conceptos de la agenda de seguridad regional y global para incluir las llamadas amenazas no militares. Ello explica la oposición brasileña al fortalecimiento de un sesgo intervencionista prodemocrático en la OEA.

En el frente interno, las políticas de seguridad internacional de Brasil se ven condicionadas por las presiones y los intereses de los militares. El nacionalismo continúa siendo una fuente impor-

[35] *Ibíd.*, p. 68.

tante de cohesión dentro de las fuerzas armadas brasileñas, producto de la valorización de los atributos geoestratégicos del país y del temor de una mayor presencia militar de los Estados Unidos en Sudamérica. Este temor se acrecentó con las operaciones militares norteamericanas vinculadas a la lucha contra el narcotráfico en la región y al establecimiento de bases de radares de Estados Unidos en otros países amazónicos. Desde la perspectiva militar brasileña, pese a que la asimetría de poder y las diferentes percepciones de amenazas han afectado las relaciones con los Estados Unidos, la historia y la tradición imponen un *modus vivendi* con el "gigante del norte".[36]

Respecto de los asuntos mundiales, el pensamiento militar brasileño percibe el antagonismo Norte-Sur como la contradicción global predominante en el nuevo orden internacional. En este sentido, existe particular preocupación sobre las dificultades para acceder a la tecnología de punta de los países industrializados, afirmando que existiría un "cartel del conocimiento" en la política mundial.[37] Este tipo de percepciones no ha impedido que las fuerzas armadas brasileñas ampliasen su participación en las misiones de paz de la ONU.[38] La participación de oficiales brasileños en las fuerzas de paz de la ONU se ha vuelto particularmente importante en países africanos de habla portuguesa (Angola y Mozambique), con los cuales existe una familiaridad cultural y lingüística, profundizada a partir de los años setenta con una presencia diplomática y económica significativa.

En los círculos militares brasileños existe una preocupación por la internacionalización de las políticas ambientales y su inclusión en la nueva agenda de seguridad global. Los militares tienden a interpretar los enfoques globalistas que consideran a la región amazónica como una fuente de preocupación ecológica global, co-

[36] Gleuber Vieira (1994), p. 10.

[37] *Ibíd.*, p. 9.

[38] Brasil participó en la Misión de Observadores de la ONU en El Salvador (ONUSAL), en la Misión de Observadores en Mozambique (ONUMOZ) y la Misión de ONU en Angola (UNAVEM). Hasta diciembre de 1994, sólo 150 oficiales brasileños participaron en misiones de paz, un monto más bajo que la Argentina (1300) y Uruguay (930). En 1995, sin embargo, Brasil envió 1000 oficiales para participar de la misión de la ONU en Angola.

mo un intento de recortar la soberanía de Brasil sobre dicho territorio. En realidad, el tema amazónico se ha vuelto un tema extremadamente complejo en la política interna brasileña, abarcando un conjunto diversificado de actores gubernamentales y no gubernamentales.

Luego del fracaso del programa Calha Norte impulsado por las fuerzas armadas a mediados de los años ochenta con el fin de expandir la presencia militar en esta área, los militares pretenden establecer un amplio sistema de monitoreo y comunicación que incluye la instalación de gran cantidad de radares, satélites y censores aéreos. Bajo la denominación de Sistema de Vigilancia de la Amazonia (SIVAM), este programa ha sido considerado una reacción contra la idea de una "internacionalización" de la Amazonia. Previsto para ser instalado en siete años, este sistema pretende: controlar el tráfico de drogas y las actividades de contrabando fronterizas, supervisar la seguridad de las poblaciones indígenas, preservar los recursos ambientales, y asegurar una presencia más efectiva en un área de cinco millones de kilometros de fronteras abiertas.

Aunque surgió claramente como una iniciativa militar, el SIVAM refleja el interés de sectores políticos y gubernamentales sobre la necesidad de una integración más efectiva entre el territorio de la Amazonia y el resto del país. Por esta razón, el programa forma parte de un proyecto más amplio llamado Sistema de Protección de la Amazonia (SIPAN) que involucra a las fuerzas armadas, la Secretaría de Asuntos Estratégicos, la Policía Federal, el Ministerio de Recursos Ambientales y la Fundación Indígena Nacional. Para Itamaraty, la creciente importancia de la región amazónica en la política interna ha sido una motivación importante para la profundización de los vínculos políticos y económicos con otros vecinos amazónicos, en especial con Venezuela.

En el caso de Chile, existe una clara distinción entre la política exterior y la política de seguridad internacional que resulta de las tensiones en las relaciones cívico-militares. En tanto que el Ministerio de Relaciones Exteriores apoya todas las iniciativas destinadas a fortalecer los regímenes y las instituciones multilaterales, las autoridades militares defienden una postura más prudente *vis-à-vis* la política mundial, buscando preservar un margen de maniobra para desarrollar proyectos autónomos. Desde la perspectiva militar chilena, el Estado-nación es todavía un concepto esencial y, por lo tanto, la seguridad internacional debe estar estrechamente asociada con la política de defensa nacional. Con respecto a los asuntos de seguridad internacional, Chile ha participado en regímenes regionales de no proliferación, pero se ha resistido a adherir al TNP y a participar plenamente en misiones de paz de la ONU.

En política exterior, Chile ha adoptado un enfoque globalista que reconoce la creciente importancia de las amenazas no militares, y la diplomacia chilena ha sido activa en promover la flexibilización del principio de la soberanía nacional frente a situaciones en las que la democracia y los derechos humanos se encuentran amenazados. Al respecto, cabe mencionar que el gobierno chileno fue uno de los principales impulsores de la resolución 1080 de la OEA que propugna una respuesta conjunta de los países del hemisferio ante una alteración del orden institucional en algún país miembro.

4. La dimensión regional

La combinación de los diferentes tipos de relaciones cívico-militares junto con las premisas de política exterior es crucial para comprender el desarrollo reciente de la política de seguridad regional en el Cono Sur. Como se señaló previamente, aunque la democratización ha sido una experiencia compartida en el área, no condujo a la formación de una comunidad pluralista de seguridad.[39] La democratización y las iniciativas de cooperación económica han permitido mejorar las condiciones de paz y seguridad de la región, pero no han conducido a un proceso de integración en el campo de la seguridad.

La cooperación regional en el campo de seguridad se ha tornado un "spill-around effect" de la expansión de los vínculos eco-

---

[39] Este concepto fue desarrollado y aplicado por Karl Deutsh para caracterizar la integración y la cooperación en seguridad entre países de Europa Occidental. Ver Karl Deutsh *et al.* (1957). Su aplicación para América del Sur fue analizada por Kalevi Holsti (1994).

nómicos entre los países del Cono Sur. Es decir, los acuerdos de integración intra-regional han dado lugar a un nuevo capítulo en la política de seguridad regional como parte de las externalidades producidas por la expansión de las relaciones económicas.

Al mismo tiempo, las diferencias previamente mencionadas respecto de la política interna e internacional acentúan un proceso de politización en el cual los vínculos entre poder y economía se han convertido en una cuestión central. Esta politización aunque se ha convertido ocasionalmente en un elemento perturbador en el proceso asociativo, no ha afectado las condiciones de paz y estabilidad en el Cono Sur. En este caso la existencia de regímenes democráticos y la creciente interdependencia entre los países de la región representan un elemento suficientemente poderoso para neutralizar el impacto de las diferencias políticas interestatales.

En cuanto a los pequeños Estados del Cono Sur, llama la atención la actuación contrastante de ambos países en la política de seguridad regional. Paraguay ha sido una fuente permanente de preocupación para la Argentina y Brasil. Primero, a causa de la presencia dominante de los militares en la política interna y segundo, debido al involucramiento de las fuerzas armadas paraguayas en el narcotráfico. Uruguay, en cambio, no representa una amenaza para sus vecinos debido a su estabilidad política y al bajo perfil de sus fuerzas armadas en la política interna.

La Argentina es el país que ha demostrado mayor interés en entrelazar la integración económica con la seguridad regional. Desde principios de los años noventa se sostiene en los círculos académicos, militares y diplomáticos argentinos la idea de crear un sistema de seguridad para el Cono Sur. Este sistema incluiría: el establecimiento de un centro responsable de evitar conflictos subregionales, un centro de base de datos estratégicos, intercambio de tecnología militar, cooperación en la industria de armamentos, etcétera.[40]

La falta de progresos en este sentido incrementó las preocupaciones de la Argentina por la posibilidad de un creciente desequilibrio militar entre este país y sus vecinos. Chile es el país que

[40] Ver Gustavo Druetta y Luis Tibiletti (1993).

representa la mayor preocupación de la Argentina debido a la continua política de producción y adquisición de armamentos y al mantenimiento de una política de defensa que implica hipótesis de conflicto con todos sus vecinos.

Con Brasil, en cambio, se considera que ya no existen más hipótesis de conflicto entre ambos países y, por lo tanto, debería desarrollarse gradualmente una alianza estratégica. Para ello se requiere, desde el punto de vista argentino, una reducción equilibrada de las armas convencionales así como el establecimiento de un mecanismo permanente de intercambio de información sobre proyectos espaciales y misilísticos. Pese a no haber logrado ningun tipo de compromiso por parte de las fuerzas armadas de Brasil, los militares argentinos continúan impulsando programas de cooperación orientados a la consolidación de los vínculos en el campo de la seguridad con su contraparte brasileña. Si bien el actual desequilibrio con Brasil es percibido como una "segunda mejor situación", los motivos subyacentes de la política de seguridad brasileña son reconocidos como legítimos, y no son considerados *per se* como amenazas para la Argentina. También, se reconoce que los costos y los beneficios de las diferentes opciones en alianzas globales no son necesariamente los mismos para ambos países.

Con Chile existe una situación más compleja, debido a que las políticas de defensa chilenas no han descartado hipótesis de conflicto con su vecino transandino. Asimismo, el hecho de que las disputas limítrofes no hayan sido totalmente resueltas entre ambos países es un aspecto que preocupa a las autoridades militares y diplomáticas de la Argentina.

Los militares chilenos han sido bastante menos entusiastas acerca de la integración regional y sus efectos de "spill-around" sobre políticas de seguridad que sus colegas de la Argentina. La percepción dominante entre los militares chilenos, que cuentan con el apoyo de algunos sectores civiles, es que los Estados tienen intereses diferentes que limitan la complementación y la cooperación regional.[41] De este modo, el establecimiento de relaciones cooperativas en el área

---

[41] Claudio Fuentes (1995), p.70.

de seguridad con países vecinos se encuentra condicionado por las políticas de defensa nacional. Paradójicamente, esta percepción sobre el Estado-nación de los militares chilenos debe coexistir con decisiones de política exterior adoptados por la Cancillería que favorecen la seguridad cooperativa en el ámbito hemisférico.

Para Brasil, el Cono Sur es parte de una agenda de seguridad global y regional más amplia. En primer lugar, desde que Brasil abandonó el alineamiento militar con los Estados Unidos a mediados de los años setenta, la Argentina se ha convertido en su socio más importante en materia de cooperación de seguridad bilateral. Esta cooperación no sólo ha intensificado las condiciones de paz y estabilidad en Sudamérica sino que ha servido para fortalecer la credibilidad de Brasil ante la comunidad internacional. En segundo lugar, la cooperación con la Argentina ha permitido a Brasil consolidar un clima pacífico en sus fronteras del sur de modo de poder afrontar las amenazas a la seguridad que se presentan a lo largo de las fronteras del norte del país.[42] La problemática situación en la Amazonia, junto con las inquietudes originadas por los nuevos enfoques globales sobre medio ambiente, han desplazado los intereses de los militares brasileños desde la frontera sur a la del norte.

Pero las diferencias entre las opciones de política exterior y de seguridad de la Argentina y Brasil a partir de los años noventa introdujeron un nuevo elemento de preocupación en el ambiente diplomático y militar de Brasil. La principal inquietud es que la Argentina llegue demasiado lejos en su política de desarme unilateral, generando una situación inconveniente de desequilibrio en el área que obligue a sus vecinos a seguir el mismo camino. Si bien Brasil se solidarizó con la Argentina en la Guerra de Malvinas, la derrota del régimen militar argentino fue un alivio dado que afectó la capacidad ofensiva del país. La actitud beligerante de la Argentina en los años setenta provocó gran preocupación en el Cono Sur. En este cuadro, el fin de las políticas militaristas de la Argentina en la región fueron *per se* un factor favorable para las condiciones de paz en el área.[43]

---

[42] Thomaz Guedes da Costa (1993), p. 81.
[43] Ver Kalevi Holsti (1994).

En el contexto de las relaciones argentino-brasileñas ocurre con frecuencia que sectores de las elites políticas y económicas de un lado se identifican con preferencias gubernamentales y/o societales predominantes en el otro país. Actualmente, ciertos sectores de la Argentina que se identifican con las opciones económicas y de seguridad internacional de Brasil aprueban relaciones económicas más estrechas con Brasil buscando simultáneamente legitimar la misma clase de políticas en su país.[44] En otras palabras, el apoyo al establecimiento de relaciones más estrechas con Brasil en cuestiones económicas y de seguridad obedece a un interés por continuar con los programas de tecnología militar y adoptar una política de seguridad internacional más independiente *vis-à-vis* los Estados Unidos.[45] Es decir, la cooperación Argentina-Brasil en el campo de la seguridad podría ser útil para evitar un desmantelamiento aún mayor de la industria militar argentina.

No obstante, más allá de las inquietudes sobre las opciones de seguridad nacional e internacional de la Argentina, ciertos sectores de las fuerzas armadas brasileñas perciben la falta de convergencia entre las políticas exteriores de ambos países como un impedimento para la expansión de la cooperación militar.[46] Los militares brasileños reconocen, sin embargo, que la cooperación en seguridad será una consecuencia natural y necesaria de la integración económica regional.[47] En este contexto, Brasil busca "desdramatizar" las divergencias en las políticas exteriores de ambos países para poder construir una agenda positiva que se extienda más allá de las iniciativas de integración económica.

---

[44] Ver Monica Hirst (1994).

[45] Siguiendo esta lógica, cuando el gobierno argentino inició la acción militar para recuperar las islas del Atlántico Sur, ciertos sectores del gobierno y la sociedad de Brasil apoyaron a la Argentina, no sólo porque reconocían los legítimos derechos de este país sobre las islas sino también porque sentían admiración por la audacia de su vecino. Un situación similar se produjo cuando Brasil rompió relaciones con las potencias del Eje en 1942 y laArgentina se mantuvo neutral. Respecto de las políticas económicas, cuando el programa de estabilización implementado por Domingo Cavallo comenzó a mostrar resultados positivos, diferentes sectores de las elites brasileñas tenían la esperanza de que Brasil copiara la misma fórmula.

[46] Ver Thomaz Guedes da Costa (1993).

[47] Ver Gleuber Vieira (1994).

Cabe mencionar que la discusión en torno de la posibilidad de Brasil de asumir el status de potencia regional se ha entrelazado, en parte, con las diferencias entre las políticas exteriores de la Argentina y Brasil. Si bien reconoce su importancia regional, Brasil, ha renunciado explícitamente a toda clase de pretensión hegemónica.[48] Pero la creciente presencia económica y diplomática de Brasil en Sudamérica, junto a la posibilidad de acceder a un asiento permanente en el Consejo de Seguridad de la ONU tendrán una repercusión inevitable sobre la política regional. Brasil deberá evitar una politización negativa al respecto, particularmente en la Argentina.

Las relaciones con la Argentina y con los Estados Unidos deberán ocupar un lugar prioritario en las estrategias de largo plazo de Brasil. A fin de progresar en ambas direcciones se tornó necesario evitar la triangulación de las relaciones Argentina-Brasil-Estados Unidos. Este hecho se vio favorecido por un mayor acercamiento entre Brasil y los Estados Unidos, especialmente desde la asunción del presidente Cardoso. Una señal positiva en esta dirección, en el ámbito de la seguridad, se observó en el Encuentro de los Ministros de Defensa sobre Seguridad Hemisférica celebrado a mediados de 1995 en Williamsburg. Las previas expectativas de crear un régimen de seguridad hemisférica y compromisos de acción colectiva han disminuido, priorizándose, en cambio, medidas de confianza mutua e iniciativas de cooperación. Se debe mencionar también que Brasil se ha tornado más cooperativo en relación con cuestiones de la agenda interamericana, especialmente aquellas relacionadas con derechos humanos y con el perfeccionamiento de las condiciones sociales y políticas de la democracia.

5. CONSIDERACIONES FINALES

¿Ha llegado el momento para la creación de una comunidad de seguridad pluralista en el Cono Sur?

A pesar de la desarticulación de hipótesis de conflicto en los últimos diez años y de una interacción intergubernamental e inter-

---

[48] James Hoge (1995), p. 66.

societal sin precedentes, todavía queda un largo camino por delante para lograr una integración en el ámbito de seguridad. Este será, sin duda, un camino accidentado que dependerá de la evolución de los contextos interno, internacional y regional.

La democratización es una condición importante pero no suficiente para profundizar la cooperación en seguridad en el Cono Sur. Los diferentes patrones de relación cívico-militar que se han observado durante la consolidación democrática no han contribuido a desarrollar una identidad común ni una misión compartida entre las fuerzas armadas de la región. Estos hechos demuestran las dificultades para avanzar hacia una integración política y de seguridad en el corto y el mediano plazo.

Sin embargo, al constituir una zona "sin guerras" y un área estratégica marginal en los temas globales, las diferencias en política exterior no adquieren un sentido trascendente para la seguridad regional.[49] Las medidas de confianza mutua, las negociaciones de no proliferación nuclear entre la Argentina y Brasil iniciadas a mediados de los ochenta –consideradas hoy como un ejemplo de zonas libres de armas nucleares– y la democratización –que ha intensificado el uso de mecanismos de acuerdos pacíficos fortaleciendo las bases de la "cultura" del legalismo de esta región– han consolidado las bases para la paz y la estabilidad inter-estatal en el Cono Sur.[50] En realidad, si bien la cooperación en temas de seguridad y la democratización no han conducido a la integración en el área de seguridad, han sido efectivas en disminuir la desconfianza y la animosidad previas entre los Estados del Cono Sur –especialmente entre la Argentina, Brasil y Uruguay.

Dada la menor convergencia en política exterior, los factores económicos se han convertido en la fuente más importante para la identificación de intereses comunes en el Cono Sur. La nueva rea-

---

[49] Según Holsti, zonas "sin guerra" son aquellas "(...)en las cuales la posibilidad de conflicto armado ha sido reducido a casi cero". Ver Kalevi Holsti (1994), p.12.

[50] Holsti sugiere que la tradición diplomática legalista de Sudamérica podría sustituir la falta de otras doctrinas tales como 'el destino manifiesto', 'la misión civilizadora', 'la revolución mundial', o 'el anti-comunismo'. En consecuencia "(...)el legalismo ayuda a establecer el valor, la reputación y el prestigio de pequeños países en la periferia del sistema internacional". Ver Kalevi Holsti (1994), p.33.

lidad económica que caracteriza a la región, basada en la combinación de reformas unilaterales de corte liberal con negociaciones minilaterales, ha favorecido una profundización de la integración subregional. La existencia de valores compartidos e intereses comunes ha intensificado el comercio intra-regional y el flujo de inversiones, generando interacciones transfronterizas sin precedentes. El MERCOSUR contribuyó al abandono de las tradicionales estrategias económicas defensivas y expandió la interdependencia económica entre sus Estados miembros. Poco a poco, el MERCOSUR se transforma en un elemento de identidad para los países del Cono Sur.

Por su parte, Chile, un observador de este proceso, ha intensificado los vínculos económicos con todos los países de la subregión. Entre otros motivos, cabe señalar que la cautelosa postura chilena ha estado supeditada a sus opciones económicas extra-regionales –particularmente con los Estados Unidos–.[51] Con un inevitable efecto fragmentador, las estrategias económica y de defensa chilenas han evitado hasta el presente compromisos permanentes con los restantes países de la región.

En los círculos diplomáticos y militares argentinos y brasileños existe consenso acerca de que las diferencias políticas bilaterales no afectan *per se* a la integración regional. Sin embargo, se trata de un aspecto que contamina el ambiente político y que puede llegar a ser manipulado por fuerzas anti-integracionistas que provoquen una politización negativa en momentos de negociaciones difíciles. Dado que el MERCOSUR carece de instituciones sólidas, tales circunstancias podrían afectar las relaciones bilaterales, ya no como consecuencia de disputas concretas sino por la falta de tolerancia recíproca y por un vínculo negativo entre poder y economía.

[51] Chile se ha resistido a ingresar en el MERCOSUR como miembro pleno por varias razones: no desea atar su estructura arancelaria a un Arancel Externo Común subregional más alto; teme que un incremento significativo del comercio con otros países del Cono Sur pudiera generar vulnerabilidad e inestabilidad en su economía, y el sector agricultor chileno se vería inevitablemente afectado por la competencia de los productos primarios de la Argentina.

La falta de tolerancia mutua puede dañar las relaciones inter-democráticas y afectar la credibilidad de las políticas exteriores en la posguerra fría. Por eso, la madurez política para tratar los particularismos de la historia, la cultura y las realidades domésticas será una condición *sine qua non* para un proceso de integración regional exitoso. Dado que probablemente persistirán visiones diferentes del mundo, la coexistencia pacífica podría llegar a ser, en el futuro cercano, una segunda mejor solución en las cuestiones de política y estrategia internacional. En este caso, el entorno político del MERCOSUR favorecerá un movimiento gradual desde una politización estéril hacia la formación de una comunidad de seguridad regional.

BIBLIOGRAFÍA

Acuña, Carlos y William Smith (1994), "The politics of 'military Economics' in the Southern Cone: comparative perspectives on democracy, arms production and the arms race among Argentina, Brazil and Chile", en W. Smith, C. Acuña y E. Gamarra, eds., *Latin American political economy in the age of neoliberal reform. Theoretical and comparative perspectives for the 1990s*, New Brunswick: Transaction Publishers.

Adler, Emanuel (1987), *The power of ideology: the quest for technological autonomy in Argentina and Brazil*, Berkeley: University of California Press.

Broinizi Pereira, Mauricio (1995), "Projeto Sivam: entre a natureza, a história e o futuro", *Premissas*, Caderno 10.

Cavagnari Filho, Gerardo (1987), "Autonomia militar e construção da potencia", en *As Forças Armadas no Brasil*, Rio de Janeiro: Espaço e Tempo.

Deutsh Karl, *et al.* (1957), *Political community and the North Atlantic Area*, Princeton: Princeton Univ. Press.

Doyle, Michael (1983), "Kant liberal legacies and foreign affairs: Part 1 and part 2", *Philosophy and Public Affairs*, N.12.

Druetta, Gustavo y Luis Tibiletti (1993), "La seguridad estratégica regional en el Cono Sur" en *Cambios globales y América Latina. Algunos temas de la transición estratégica*, Santiago: CLADDE/FLACSO.

Escudé, Carlos y Andrés Fontana (1995), "Divergencias estratégicas en el Cono Sur. Las políticas de seguridad de la Argentina frente a las de Brasil y Chile", *Documento de Trabajo*, N. 20, Buenos Aires: Universidad Torcuato Di Tella.

Flores, Mario Cesar (1992), *Bases para una política militar*, Campinas: Editora da Unicamp.

Fontana, Andrés (1987), "La política militar del gobierno constitucional argentino" en J. Nun y J. Carlos Portantiero, eds., *Ensayos sobre la transición democrática en Argentina*, Buenos Aires: Punto Sur.

Franko, Patrice (1994), "De facto demilitarization: budget-driven downsizing in Latin America", *Journal of Inter-American Studies and World Affairs*, Vol. 36, N. 1, Spring.

Fuentes, Claudio (1995), "El mundo desde Chile", *Seguridad Estratégica Regional 2000*, N.7, marzo.

Gillespie, Charles y Luis González (1989), "Uruguay: the survival of old and autonomous institutions", en Larry Diamond, Juan L. Linz and Seymour Lipset, eds., *Democracy in developing countries*, London: Lynne Rienner Publishers.

Goldstein, Judith y Robert O. Keohane, eds., (1993), *Ideas and foreign policy*, Ithaca: Cornell Univ. Press.

Guedes da Costa, Thomaz (1993), "Bases de la postura estratégica de los países sudamericanos en la década del noventa", en *Cambios globales y América Latina*, Santiago: CLADDE/FLACSO.

Hirst, Monica y Roberto Russell (1987), "Democracia y política exterior: los casos de Argentina y Brasil", *Estudios Internacionales*, N. 80.

Hirst, Monica y Maria Regina Soares de Lima (1990), "Crisis y toma de decisiones en la política exterior brasileña: el Programa de Integración Argentina-Brasil y las negociaciones sobre informática con Estados Unidos" en Roberto Russell (Ed.), *Política exterior y toma de decisiones en América Latina*, Buenos Aires: GEL.

Hirst, Monica (1994), "A reação do empresariado argentino diante da formação do Mercosul", Brasilia: IPEA.

Hirst, Monica y Leticia Pinheiro (1995), "A política externa do Brasil em dois tempos", *Revista Brasileira de Política Internacional*, Ano 38, N.1.

Hoge, James (1995), "Cardoso's brazilian dreams", *Foreign Affairs*, July/August.

Holm, Hans y Georg Sorensen, eds., (1995), *Whose world order? Uneven globalization and the end of the Cold War*, Boulder: Westview Press.

Holsti, Kalevi (1994), "Analyzing an anomaly: conflict and peace in South America", *mimeo*, British Columbia.

Khalil Mathias, Suzeley y Iara Beleli (1995), "Os militares e a consolidação democrática", *Premissas*, Caderno 10.

López, Ernesto (1995), "Defesa não provocativa e relações cívico militares: reflexões sobre o caso argentino", *Premissas*, Caderno 9.

Loveman, Brian (1991), "¿Misión cumplida? Civil-military relations and the chilean political transition", *Journal of Inter-American Studies and World Affairs*, Vol. 33, Fall.

Ministerio das Relações Exteriores do Brasil (1993), *A inserção internacional do Brasil* (A gestao do Ministro Celso Lafer no Itamaraty).

Nogueira Batista, Paulo (1993), "A política externa de Collor: modernização ou retrocesso", *Política Externa*, Vol. 1, N.4.

Nunn, Frederick (1995), "The South American military and re(democratization): professional thought and self-perception", *Journal of Latin American Studies and World Affairs*, Vol. 37, N. 2.

Perruci, Gamaliel (1995), "The North-South Security Dialogue in Brazil's Technology Policy", *Armed Forces & Society*, Vol. 21, N. 3, Spring.

Rial, Juan (1991), "Los militares en tanto 'partido político sustituto' frente a la redemocratización en Uruguay", *Síntesis*, N. 13.

——————— (1993), "Renovación o reforma militar", *Seguridad Estratégica Regional 2000*, N.4, septiembre.

Riguelme, Marcial A. (1994), "Bases para la discusión de las relaciones fuerzas armadas-sociedad civil en el Paraguay", en J. L. Simon, ed., *La democracia en Paraguay cinco años después*, Asunción: Fundación Hans Seidel - Universidad Nacional de Asunción.

Sain, Marcelo Fabián (1995), "A política militar durante o governo de Carlos Menem (1989-1994)", *Premissas*, Caderno 9.

Santos Neves, Carlos Augusto (1993). "O Brasil e o futuro: linhas para uma presença do Brasil na vida internacional", *Política Externa*, Vol. 1, N.4.

Schmitter, Philippe (1991), "Idealism, regime change, and regional cooperation: lessons from the Southern Cone of Latin America", *The new interdependence in the Americas: challenges to economic restructuring, political redemocratization and foreign policy*, Stanford University Press.

Seabra de Cruz Jr., Ademar, Antonio Ricardo Cavalcante y Luiz Pedone (1993), "Brazil's foreign policy under Collor", *Journal of Inter-American Studies and World Affairs*, Vol. 35, N.1.

Soares de Lima, Maria Regina (1994), "Ejes analíticos y conflicto de paradigmas en la política exterior brasileña", *América Latina/ Internacional*, Vol. 1, N. 2.

Sola, Lourdes (1993), "Estado, transformação econômica e democratização no Brasil", en L. Sola (coord.), *Estado, mercado e democracia. Política e economia comparadas*, São Paulo: Editora Paz e Terra SA.

Solari, Aldo (1991), "Proceso de democratización en Uruguay", *Síntesis*, N. 13.

Valenzuela, Arturo (1989), "Chile: origins, consolidation, and breakdown of a democratic regime", en Larry Diamond, Juan L. Linz and Seymour Lipset, eds., *Democracy in developing countries*, London: Lynne Rienner Publishers.

Vieira, Gleuber (1994), "La variable estratégica en el proceso de constitución del Mercosur", *Seguridad Estratégica Regional 2000*, N. 5, marzo.

Zagorski, Paul (1994), "Civil-military relations and Argentine democracy: The armed forces under the Menem government", *Armed Forces & Society*, Vol. 20, N. 3, Spring.

Zirker, Daniel y Marvin Henberg (1994), "Amazônia: democracy, ecology and brazilian military prerogatives in the 1990s", *Armed Forces & Society*, Vol. 20, N. 2, Winter.

CAPÍTULO V

LA DIMENSIÓN POLÍTICA DEL MERCOSUR:
ACTORES, POLITIZACIÓN E IDEOLOGÍA

1. INTRODUCCIÓN

Actualmente se ha avanzado más en el análisis y el debate sobre el significado económico que sobre el sentido político del MERCOSUR. No obstante, a medida que se profundizan y diversifican los temas de su agenda, se torna importante comprender las consecuencias políticas del proceso de integración subregional.

Un análisis político del MERCOSUR debe partir de su caracterización como un proceso intergubernamental, sobre el cual han influido dos tipos de factores; los exógenos y endógenos. Los primeros comprenden las políticas económicas, las políticas exteriores y las dinámicas políticas internas de cada Estado miembro; los segundos se refieren a los aspectos institucional-burocráticos, socioeconómicos y político-ideológicos vinculados con los procesos de integración regional. Sin embargo, dado que el eje Argentina-Brasil constituye el núcleo político del proceso asociativo, el peso de los factores señalados, particularmente los de carácter exógeno, no será igual para todos los Estados miembros.

DEMOCRACIA, SEGURIDAD, INTEGRACIÓN. AMÉRICA LATINA EN UN MUNDO EN TRANSICIÓN

Asimismo, un análisis político del MERCOSUR no debe ignorar los condicionantes externos resultantes de la economía política internacional. Para los países que participan de esta iniciativa, la vinculación con el proceso de globalización, que se caracteriza por un crecimiento más rápido de las variables internacionales *vis-à-vis* las variables nacionales, constituye el principal incentivo para la adopción de una estrategia de regionalismo abierto.[1] Utilizada como un instrumento para estimular nuevas oportunidades de comercio e inversiones, esta asociación fue percibida como un medio para perfeccionar la competitividad internacional de sus socios. Pese a que un proceso integracionista de esta naturaleza genera realidades crecientemente homogéneas, la permanencia de heterogeneidades nacionales otorga una especificidad política al MERCOSUR. Esta especificidad está dada en función de tres aspectos políticos claves de este proceso: la actuación de sus diferentes actores (burocráticos, políticos y sociales), sus temas de politización y su base de sustentación ideológica.

2. Los actores

Actualmente se pueden identificar dos tipos de actores en el MERCOSUR; los del primero y los de segundo nivel. Se trata de una diferenciación en el grado de participación, determinada por condicionantes económicos y políticos y por el formato institucional del propio proceso asociativo. En el primer nivel se ubican la burocracia, los grupos empresarios y las máximas dirigencias políticas; en tanto que en el segundo nivel se sitúan los partidos políticos, organizaciones sindicales y los movimientos sociales.

Actores del primer nivel

Los mercócratas

Más allá de una pequeña burocracia para fines administrativos que opera desde una Secretaría en Montevideo, en todos los países miembros del MERCOSUR existe un cuerpo de funcionarios guber-

---

[1] Ver Manuel Agosín y Diana Tussie (1993).

namentales en los ministerios de relaciones exteriores y en las agencias económicas especializadas que conducen el proceso de integración subregional. Los diplomáticos más antiguos involucrados en el proceso poseen la experiencia de ALALC-ALADI como la principal escuela de formación para el desempeño de esta tarea. Pero las frustraciones resultantes de estas experiencias sumadas al impacto de las nuevas realidades domésticas e internacionales estimularon un *aggiornamento* de mentalidades que permitieron la adopción de nuevas metodologías y estrategias de negociación intergubernamental. Para la mayoría de los funcionarios vinculados con temas integracionistas, el MERCOSUR es un proceso de "learning-by-doing" donde las posiciones e intereses de las políticas exteriores de sus respectivos gobiernos deben armonizarse con los de un proceso de negociación minilateral.

Durante la primera mitad de los años noventa, las negociaciones intergubernamentales en torno del MERCOSUR se tornaron el campo más activo de la diplomacia económica de sus países miembros. Esta experiencia no condujo a la formación de una elite tecnocrática al estilo del modelo comunitario europeo en donde se dio una creciente disociación entre las dinámicas políticas locales y la construcción de un proyecto integracionista.[2] En el caso del MERCOSUR, los equipos técnicos operan desde las cancillerías y además dependen de la aprobación de sus respectivos gobiernos, a los que deben rendirles cuentas sobre el resultado de cada negociación. Asimismo, cuando se cumple una agenda común de negociaciones, como ocurre en el ámbito de los diferentes subgrupos de trabajo, los avances logrados resultan simultáneamente de entendimientos inter e intragubernamentales.

El actual dinamismo del proceso subregional viene generando nuevos desafíos para los diplomáticos, particularmente en lo que respecta a los intereses y las presiones que surgen en el frente interno. Este tipo de desafío está relacionado con el carácter "interméstico" de un proceso de integración, a medida que se amplía y se profundiza su agenda. En este caso, las cancillerías deben enfrentar presiones e intereses internos provenientes de tres ámbitos:

[2] Ver Kevin Featherstone (1994).

a) Otras agencias del Estado –principalmente económicas– que tienen una injerencia cada vez mayor en las negociaciones intergubernamentales, tornándose crecientemente importante la coordinación interburocrática con otros ministerios.[3]

b) Los intereses societales afectados positiva y/o negativamente por las negociaciones intergubernamentales. Los contactos y las consultas con sectores empresarios locales se tornaron decisivos para los entendimientos entre los países de la región.

c) Los gobiernos estaduales/provinciales de regiones beneficiadas o perjudicadas por el avance del proceso integracionista. Se destacan dos tipos de provincias, las que se encuentran en regiones fronterizas y aquellas cuyas producciones serán especialmente afectadas por la asociación intra-regional. Es interesante mencionar la reactivación de comités y consulados en las fronteras –reuniendo funcionarios diplomáticos con autoridades locales– que deben abarcar una agenda cada vez más compleja, dedicándose a temas como: cuestiones migratorias, ocupación indebida de tierras, protección del medio ambiente y actividades de contrabando.[4]

A los nuevos desafíos internos, los mercócratas deben agregar una extensa agenda de negociaciones internacionales. Existen notables diferencias entre lidiar con un proceso de integración de estrategia endógena al estilo de los años '60 y '70, y la conducción

[3] Cabe mencionar que la necesidad de cooperación interburocrática se ha traducido en un intercambio de funcionarios entre diferentes agencias gubernamentales. De este modo se observa una creciente presencia de diplomáticos en otros ministerios o secretarías vinculados con la agenda del MERCOSUR.

[4] Se creó un grupo que reúne seis provincias argentinas que conforman la Comisión Regional de Comercio Exterior del Nordeste Argentino (CRECENEA: Santa Fe, Corrientes, Entre Ríos, Chaco, Misiones y Formosa) y cuatro estados brasileños que conforman el Consejo de Desenvolvimento do Sul (CODESUL: Rio Grande do Sul, Santa Catarina, Paraná y Mato Grosso) para profundizar los vínculos entre ambas regiones. Este grupo reclama a los gobiernos nacionales y las cancillerías de los respectivos países una mayor participación en las cuestiones de integración regional del MERCOSUR, tales como las cuestiones fronterizas y las obras de infraestructura, turismo, etc. Recientemente, se estableció un Foro Permanente de Gobernadores del CRECENEA y CODESUL como un paso más en el acercamiento entre ambas regiones fronterizas. También cabe mencionar que en Brasil se creó en la Superintendencia para el Desarrollo del Nordeste una secretaría especial para el MERCOSUR.

de lo que se llama actualmente un modelo de integración abierta. Las negociaciones con el NAFTA -y en particular con los Estados Unidos-, con la Unión Europea y con otros bloques regionales o países individuales constituyen los principales temas de la agenda externa del MERCOSUR. La importancia de estas negociaciones es diversa, en tanto deben atender calendarios y cronogramas prefijados que raramente pueden ser cumplidos en su totalidad. Cabe subrayar aquí el apoyo técnico y académico brindado a los mercócratas en los últimos tiempos, tanto para profundizar el debate como para clarificar las opciones que tienen por delante.[5]

En este contexto se creó una vinculación de cuestiones que muchas veces erosiona la frontera entre lo internacional y lo nacional y entre la política y la economía. Diversas cuestiones como disputas fronterizas, uso compartido de fuentes energéticas, comunicaciones, seguridad y política internacional pasaron a estar relacionados con la creación de un espacio económico ampliado.

El empresariado

Otro actor relevante en el MERCOSUR ha sido el segmento empresario, que representa los intereses de los grupos económicos de mayor peso o las empresas transnacionales que operan en la subregión. Habiendo aceptado la creación de un espacio económico integrado como un "mal inevitable", los sectores industriales y financieros nacionales más dinámicos, especialmente en la Ar-

---

[5] En los últimos tiempos se observa una creciente colaboración de círculos académicos con funcionarios de los gobiernos nacionales para debatir sobre el MERCOSUR, particularmente con las respectivas cancillerías nacionales. Desde 1993, mediante una iniciativa conjunta de FLACSO/Argentina y FOROSUR se vienen desarrollando seminarios con representantes de los medios académicos, políticos y diplomáticos de los países del Cono Sur con el objetivo de promover las relaciones de cooperación e integración entre los países. A esta iniciativa se han sumado en los dos últimos años instituciones académicas de Brasil y Chile. Ejemplos en este sentido han sido los tres seminarios: "Las políticas exteriores de Argentina y de Brasil frente a un mundo en transición: Diversidad, Convergencia y Complementariedad", en Buenos Aires (septiembre de 1993);"El Sur de las Américas en un mundo en transición: Escenarios y Políticas", en Buenos Aires (septiembre de 1994); y "El Sur de las Américas frente a nuevos desafíos", en Brasilia (mayo de 1995). También cabe mencionar el "Grupo de Análisis sobre la Integración del Cono Sur", formado por especialistas de los países integrantes del MERCOSUR. Este grupo se reúne dos veces por año.

gentina y Brasil, pasaron a percibir la asociación intra-regional como una forma de aprendizaje para la adopción de estrategias empresariales más competitivas. Al abandonar su "posicionalismo defensivo", este segmento se mostró interesado por la ampliación de redes transfronterizas que le permitieran combinar el impacto de las políticas de estabilización con acuerdos preferenciales de comercio.[6]

Se debe diferenciar en el MERCOSUR la actuación de las empresas transnacionales, los grandes grupos nacionales, y los medianos y los pequeños productores.[7] El primer segmento goza de un alto grado de autonomía, habiendo adoptado estrategias de regionalización que se benefician de los entendimientos intergubernamentales, aunque podrían implementarse en forma independiente respecto del proceso de integración regional.[8] El segundo grupo es el que ha mostrado mayor agilidad política, buscando una estrategia que equilibre el impacto de los procesos de reforma interna con las oportunidades generadas por la creación de un mercado ampliado. Las estrategias y las alianzas empresariales en el caso de ambos sectores poseen cierto grado de autonomía *vis-à-vis* el proceso de negociación intergubernamental.

De hecho, la regionalización se tornó un estímulo aun cuando no existen acuerdos integracionistas que respalden políticamente operaciones transnacionales como ocurre en el caso de la creciente presencia de empresas chilenas en la Argentina.[9] En este mismo sentido, muchas de las 400 empresas brasileñas que actualmente operan en la Argentina habrían expandido sus negocios hacia este país con o sin el Tratado de Asunción.

[6] Para el concepto de "posicionalismo defensivo", ver Joseph Grieco (1990).

[7] Ver Eduardo Guimaraes, Joao Bosco Machado y Pedro da Motta Veiga (1995).

[8] Ver Gabriel Bezchinsky y Bernardo Kosacoff (1994).

[9] De acuerdo con estimaciones recientes, de los 1.445 millones de dólares de inversión extranjera directa chilena acumulada en los noventa, el 94% se localizó en América Latina y especialmente en la Argentina que absorbió el 73% de la inversión total y el 78% de la radicada en América Latina. Cabe destacar que Chile ha participado activamente en varios procesos de privatización de empresas públicas argentinas, sobre todo en el rubro de energía. Ver Armando di Filippo (1994), pp. 121-156.

El interés de las medianas y las pequeñas empresas (PyMEs) por los procesos de integración subregional está en gran medida determinado por su capacidad de vinculación con los dos segmentos anteriormente mencionados. La principal fuente de oportunidades para estas empresas reside en el proceso de "tercerización" impulsado por las industrias de gran tamaño –nacionales e internacionales– que abre el espacio para los llamados nichos de especialización intra-industrial.

A partir de los años noventa se produjo un importante incremento en las vinculaciones inter-empresarias mediante acuerdos de distribución, la formación de *tradings* o el montaje de firmas de representación. Al mismo tiempo, creció el flujo de inversiones transfronterizas estimulado por las privatizaciones concretadas en toda la subregión.[10] Este constituye un proceso con notables desigualdades en los niveles nacional y subregional, debido a las asimetrías subregionales o a las diferencias de recursos económicos y políticos de que disponen las empresas. Estas desigualdades a su vez no son generadas necesaria y exclusivamente por la formación de un mercado ampliado, sino que muchas veces son el resultado de los programas de reforma económica implementados previa o simultáneamente por los gobiernos locales.

Comparativamente con otras regiones, a pesar de una participación más activa que en otros períodos, el empresariado de los países del MERCOSUR tiene por delante un largo camino para perfeccionar las formas de representación de sus intereses en el proceso de integración subregional.[11] Cabe, entre tanto, preguntarse si el interés por una mayor institucionalización de esta representación constituye una verdadera aspiración de este sector, principalmente por parte de sus grupos más poderosos.

[10] Para un estudio más detallado de los emprendimientos llevados adelante conjuntamente por empresas argentinas y brasileñas, ver informe "Argentina-Brasil(...) (1995). Ver también Roberto Bouzas (1995).

[11] Un primer paso en esta dirección fue la realización de un convenio de cooperación entre entidades industriales de los cuatro países (la Unión Industrial Argentina, la Confederación de Industria de Brasil, la Cámara de Industria de Uruguay y la Unión Industrial Paraguaya) para la creación del Consejo Industrial del MERCOSUR.

Entre las decisiones adoptadas en la reunión de Ouro Preto a fines de 1994 se destaca la creación de un Foro Consultivo Económico Social, cuya principal función sería dar mayor organicidad y sentido regional a los intereses empresariales. No obstante, hasta el momento, los avances en esta dirección fueron mínimos, observándose una clara preferencia por priorizar los canales informales de presión o las prácticas de "lobby" ya desarrolladas en nivel nacional.[12]

Las máximas dirigencias políticas

La voluntad presidencial se ha transformado en un elemento central en las negociaciones del MERCOSUR, lo cual permite afirmar que actualmente éste es más un proyecto de gobiernos que de Estados. El interés de los primeros mandatarios por la integración regional no deriva de programas partidarios o de ideales políticos específicos. El interés de los gobernantes mercosureños por la continuidad y la profundización del proceso no está ligado tampoco a estrategias populistas como ocurría en el pasado.[13] Se trata de un interés político muy particular que procura conjugar liderazgo personal, sentido de oportunidad económica y necesidad de proyección internacional.

En el caso del MERCOSUR, como también en el PICE durante la etapa anterior, la voluntad presidencial constituyó un elemento importante tanto para fortalecer el proceso como para establecer sus límites. El hecho de que esta voluntad no esté identificada con programas partidarios ha favorecido su continuidad de un gobier-

---

[12] En los últimos tiempos se han constituido tres agrupaciones (Grupo Brasil, Grupo Cordillera y Grupo Argentina) que nuclean a empresarios con inversiones en otros países del MERCOSUR para realizar "lobby" ante las autoridades vecinas. El primero se estableció en 1994, y funciona como un foro informal de debate e intercambio entre ejecutivos de empresas brasileñas en la Argentina. Posteriormente, los empresarios chilenos que han invertido en la Argentina se reunieron en una asociación denominada Cordillera que se ocupa de articular sus intereses en este país. En junio de 1995, un grupo de empresarios argentinos con intereses en Brasil estableció un foro denominado Grupo Argentina en São Paulo que se inspiró en el Grupo Brasil. Ver informe Argentina-Brasil... (1995), p. 144; y Armando di Filippo (1994), pp. 136-137.

[13] Ver Heraldo Muñoz y Francisco Orrego Vicuña (1987).

no a otro. En realidad, el tema de la integración regional ha sido el punto de menor divergencia nacional entre los gobiernos de la subregión, lo que redujo la necesidad de instituciones comunitarias desde un principio. Desde la firma del Tratado de Asunción, el cambio de presidentes y de partidos gobernantes no tuvo mayor impacto sobre el proceso de integración subregional. En la mayoría de los países del área, este fue un tema de politización interna marginal.

No cabe duda de que el tránsito del PICE al MERCOSUR en los años 1989-91, que coincide con los cambios de gobierno en la Argentina, Brasil y Uruguay corresponde a un viraje importante en cuanto a la estrategia integracionista adoptada. Este viraje estuvo vinculado con nuevas premisas de política económica, comprometidas en mayor o menor grado con proyectos neoliberales. Contrariamente a las expectativas iniciales, la voluntad integracionista se mantuvo y se vio fortalecida entre los países del MERCOSUR. Aun en Uruguay, donde la integración fue un tema de politización durante la campaña presidencial de 1994, predominaron las señales favorables a la continuidad de la participación uruguaya en el proceso asociativo.

ACTORES DEL SEGUNDO NIVEL

El segundo nivel de actores está constituido por partidos políticos, organizaciones sindicales y pequeños y medianos empresarios. En gran medida, el rol secundario de estos actores está relacionado con los procesos de democratización experimentados por los países de la subregión.[14] A pesar de que en todos los casos se observa la vigencia de regímenes políticos democráticos, la capacidad de organización de los intereses de estos actores es insuficiente para asegurar su presencia activa como "shaping forces" del MERCOSUR. En este sentido, la vinculación entre la profundización de la democracia y de la regionalización carece aún de canales institucionales y organización política adecuada.

[14] Ver Guillermo O'Donnell (1994).

Se advierte un contraste notable entre las experiencias de las sociedades industriales europeas y lo que se observa en los países del MERCOSUR. La influencia ejercida por estos actores en el actual proceso comunitario europeo e incluso en los Estados Unidos y Canadá, donde el grado de institucionalización del NAFTA es limitado, es notablemente más significativa. En la Unión Europea, las redes interpartidarias cumplieron un rol decisivo para la ampliación de las funciones del Parlamento Europeo después del Acta Única Europea, y las vinculaciones intersindicales están cumpliendo un papel crucial en la conducción de la agenda social pos-Maastricht. En el caso del NAFTA, los sindicatos y las organizaciones no gubernamentales norteamericanas se transformaron en actores protagónicos en la definición de pautas de negociación intergubernamentales –especialmente durante la segunda etapa cuando se negoció un acuerdo complementario sobre temas laborales.[15]

A continuación se examinará brevemente el tipo de actuación de la clase parlamentaria, de las organizaciones sindicales y de los pequeños y medianos empresarios en el MERCOSUR.

Los partidos políticos

La participación de los partidos políticos ha sido marginal en el MERCOSUR. El Tratado de Asunción previó en su artículo 24 la creación de una Comisión interparlamentaria, sin atribuirle una función específica. Una vez constituida, la propia comisión determinó que sus atribuciones serían de carácter consultivo, deliberativo y de formulación de propuestas. De hecho, sus vínculos con los órganos técnicos del MERCOSUR han sido informales e inconstantes, esto motivó que la movilización parlamentaria en torno de la agenda integracionista sea limitada y/o desarticulada.

Contrariamente a lo que se observa en la experiencia europea, los partidos políticos de los países del MERCOSUR no cuentan con redes interpartidarias en la subregión. Tampoco existe una afinidad ideológica y/o programática que estimule este tipo de interacción. Cada país tiene una estructura partidista propia y sus

---

[15] Ver Graciela Bensusan (1994).

programas no encuentran correspondencia político-ideológica en los otros países, lo que explica la dificultad para crear una trama de intereses y posiciones comunes que no se limite a la defensa de la democracia.

En el ámbito político interno, la participación de la Argentina en el MERCOSUR corresponde a un proyecto bipartidista, y éste ha sido, de hecho, el único punto de continuidad entre las políticas exteriores de los gobiernos radical y justicialista. Entre tanto, la preocupación del Congreso por el tema integracionista ha sido fragmentada y dispersa, inclusive en momentos de tensión y politización de las negociaciones subregionales. En Brasil, el interés por el MERCOSUR se concentra en los representantes de los estados del sur del país, preocupados casi siempre por los costos de este proceso para los agricultores del área. También se observa una preocupación por parte de sectores nacionalistas brasileños, particularmente de los partidos de izquierda, que perciben la vinculación con la Argentina como una forma de profundizar la influencia de recetas neoliberales sobre las políticas locales. En el caso uruguayo, la movilización parlamentaria frente al MERCOSUR fue mayor en la etapa inicial, cuando el gobierno buscó asegurar un amplio apoyo interno a su decisión de adherir al Tratado de Asunción. En cambio, en Paraguay, la clase política, y en especial los sectores más duros del partido gobernante, representa uno de los focos de cuestionamiento a la participación del país en el MERCOSUR.

Los pequeños y los medianos empresarios

Frente a las políticas unilaterales de liberalización comercial, los pequeños y los medianos empresarios han sido forzados a abandonar las prácticas defensivas utilizadas durante el período de vigencia del modelo sustitutivo. A esto se sumó el Programa de Liberación Comercial del Acta de Buenos Aires y el Tratado de Asunción que impusieron nuevas reglas al comercio intra-regional. Esto condujo, en algunos casos, a que las PyMEs desarrollaran nuevas estrategias con el fin de mejorar la competitividad y el acceso a los mercados de la región. No obstante, tratándose de una cantidad aproximada de 3,5 millones de unidades cuando se incluyen las microempresas, este sector productivo pasó a reclamar programas de apoyo que le permitan enfrentar las nuevas condiciones competitivas impuestas por el MERCOSUR.[16]

Para estas empresas se tornó crecientemente importante encarar las necesidades de reconversión, de cambios de gestión, de actualización tecnológica, de búsqueda de socios y de formas de acceder a nuevos mercados –dentro y fuera del MERCOSUR–.[17] En este contexto se tornó vital la obtención de apoyos públicos para reducir los costos de producción y mejorar las condiciones de financiación e inversión. Pero las limitaciones impuestas por las políticas nacionales para lograr este tipo de apoyo, la inestabilidad macroeconómica y los ajustes impuestos por las nuevas estrategias productivas de las empresas transnacionales incrementó aún más la vulnerabilidad de las PyMEs.

En el ámbito del MERCOSUR, los mecanismos institucionales y las fuentes de apoyo público en Brasil, aunque insatisfactorias desde el punto de vista local, han sido superiores a las que ofrecen sus socios para lidiar con este tipo de adversidad. En general, las PyMEs argentinas y uruguayas encuentran dificultades para mantener un nivel competitivo frente a sus pares brasileñas. Las reacciones generadas por el abandono de una estrategia industrialista en el contexto de una asociación económica con Brasil se ven agravadas por la ausencia de convergencias entre las políticas públicas de estos países. La respuesta del gobierno argentino ha consistido en medidas proteccionistas ocasionales, algunas de las cuales contradicen los compromisos establecidos por el Tratado de Asunción. En este cuadro, la creación de un instrumento en el ámbito del proceso asociativo para la canalización de demandas que atenúen los costos de integración resulta una meta política de las micro, las pequeñas y las medianas empresas en la subregión.

Las organizaciones laborales

Los riesgos de que el proceso de integración reduzca los puestos de trabajo, genere nuevas prácticas de "dumping social" e incre-

---

[16] Ver BID (1994.)
[17] Ver Francisco Gatto y Carlo Ferraro (1994) y Francisco Gatto y Gabriel Yoguel (1993). Ver también Virginia Moori-Koenig y Gabriel Yoguel (1992).

mente aún más el desempleo constituyen las principales preocupaciones de los líderes sindicales de la subregión.[18] La preocupación dominante en este caso pasó a ser la articulación entre el MERCOSUR y el proceso de internacionalización de los mercados en el cual la reducción de los costos de producción –incluyendo la mano de obra– se ha tornado una condición necesaria para mejorar la competitividad local. En este contexto, la defensa del empleo constituye una prioridad de la agenda sindical del MERCOSUR, y se presenta como principal desafío el desarrollo de una acción regionalizada.[19]

A pesar de que, en cada caso, la actuación de las organizaciones sindicales está sujeta a diferentes contextos políticos, comienza a emerger una agenda de intereses laborales comunes. El primer paso ha sido la homogeneización de las pautas internacionales de las políticas laborales de los cuatro países, en especial la adhesión a los convenios de la OIT.

En segundo lugar, empezaron las negociaciones para la redacción de una Carta de los Derechos Fundamentales del MERCOSUR con el objeto de crear un instrumento básico para la construcción de un sistema laboral integrado donde se definan normas y mecanismos de control para la protección laboral y social en la subregión. Entre los temas más debatidos para la elaboración de este documento se destacan: la penalización cuando se observen situaciones de "dumping social" y la libre circulación de la mano de obra.

Respecto del primer tema se destaca una propuesta argentina que prevé "medidas compensatorias" para el país afectado, en tanto que Brasil, manteniendo la misma posición que defiende en la OMC, ha sido contrario al empleo de "medidas de control supranacional" para el tratamiento de temas laborales. Respecto de la circulación de mano de obra, tanto la Argentina como Uruguay no pudieron contar con el apoyo paraguayo y brasileño para incluir algunas restricciones que impidiesen una liberalización plena.

En el ámbito del subgrupo 11 dedicado a los temas laborales, las representaciones sindicales del MERCOSUR analizan con los funcionarios de gobierno y los representantes empresariales temas

[18] Ver Victor Tokman y José Wurgaft (1995).
[19] Ver Maria Silvia Portella de Castro (1995).

tales como: la permanencia y/o la residencia del trabajador; el reconocimiento de títulos profesionales; las condiciones de seguridad en el trabajo y la armonización de las legislaciones laborales. La Comisión de Empleo y de Formación Profesional se convirtió en una de las comisiones más activas dentro del subgrupo de trabajo 11. En el ámbito de las organizaciones sindicales regionales, el proceso de MERCOSUR fue particularmente importante para ampliar el activismo y la representatividad de la Coordinación de las Centrales Sindicales del Cono Sur (CCSCS) creada en 1986 (que también incluye a Chile).

Para los líderes sindicales argentinos, el MERCOSUR constituye más una fuente de preocupación que de movilización. Se teme que las dificultades para competir con productos brasileños legitimen políticas de flexibilización laboral así como que la libre circulación de mano de obra abra las puertas para un aluvión migratorio e incremente aún más las tasas de desempleo en la Argentina. El hecho de que el sindicalismo argentino atraviese un período de fragmentación y desmovilización reduce su capacidad de presión sobre el proceso integracionista y conduce a una actuación de bajo perfil por parte de instituciones poderosas como la Confederación General del Trabajo (CGT). En este marco, las posturas asumidas por las dirigencias sindicales en las reuniones del subgrupo 11 han estado más próximas a la de los sectores empresariales de su país que lo que ocurre en el caso de las representaciones uruguayas y brasileñas.

En Brasil, el MERCOSUR ha generado una creciente movilización del sector sindical, tanto en función de sus potenciales consecuencias sobre el mercado de trabajo como por la percepción de que este proceso podría transformarse en un instrumento de proyección subregional de los modelos políticos de organización laboral de este país. La actuación del sindicalismo brasileño en el MERCOSUR, y en particular de la Confederación Única de Trabajadores (CUT), está motivada principalmente por el interés de evitar una expansión de las políticas de liberalización del mercado de trabajo, siguiendo el ejemplo de lo que ocurrió en Chile. En el caso de Uruguay, el Plenario Intersindical de Trabajadores/Convención Nacional de Trabajadores (PIT-CNT) se han esforzado para fortalecer sus canales de comunicación con los empresarios y el Estado, con vistas a asegurar un pacto nacional para la conducción de las negociaciones intra-MERCOSUR.[20]

Las centrales sindicales de los países del MERCOSUR están preocupadas por las políticas adoptadas por las empresas multinacionales, las que, por operar con estrategias productivas regionales, lleguen a ignorar especificidades nacionales y sectoriales en las negociaciones salariales. En este cuadro se torna aún más difícil la opción entre estrategias centralizadas o descentralizadas de negociaciones en el MERCOSUR. El primer tipo corresponde a un sindicalismo que opera con sistemas monopolistas, mientras se observa que en todo el mundo los modelos descentralizados son más exitosos en sus negociaciones. Sin embargo, la descentralización profundizará una fragmentación de la acción sindical en el MERCOSUR, tornando más difícil la construcción de una acción política que permita al sector sindical ascender del segundo al primer nivel en la estructura decisoria del MERCOSUR.

De hecho, la posibilidad de este ascenso está más condicionada por el poder de influencia y presión ejercido en los diferentes ámbitos nacionales que en un espacio regional. Por eso mismo, las centrales sindicales actúan mayormente a través de sus respectivos gobiernos, aun cuando éstos no son percibidos como sus principales aliados. Esta paradoja refuerza, desde la óptica de los intereses económico-sociales en cada país miembro, actitudes defensivas frente al proceso de integración subregional. Este tipo de ambigüedad resulta de divisiones intra e intersindicales entre posiciones internacionalistas y proteccionistas.[21] Éste constituye el principal dilema ideológico de las organizaciones laborales en el MERCOSUR.

3. Los puntos de politización

La profundización de la agenda del MERCOSUR dilata simultáneamente el espacio de controversia dentro y entre sus países

---

[20] Para un análisis de las posiciones del sindicalismo uruguayo frente al MERCOSUR, ver Jorge Notaro (1994).

[21] Ver Tullo Vigevani y João Paulo Veiga (1995).

miembros. Tanto soluciones técnicas como decisiones estratégicas tienden a politizarse en función de la multiplicidad de actores e intereses involucrados en el proceso asociativo. Al mismo tiempo el impacto homogeneizante del proceso de globalización aumenta las semejanzas entre los países de la subregión y las "sociedades pluralistas modernas".

Se observa en este cuadro una politización en el MERCOSUR que va más allá de una mera discusión técnico-burocrática donde el aumento de los puntos de convergencia no impide el surgimiento de nuevas diferencias. Como afirma Joseph Nye, en cualquier proceso de integración regional la "capa protectora de la 'no-controversialidad' desaparece rápidamente a medida que los intereses más sensibles son afectados y que aumenta el clima político generado por el proceso de integración".[22] De acuerdo con este mismo autor, existen procesos de integración en los cuales las cuestiones económicas son altamente politizadas desde el primer momento, lo que impide el uso de una capa protectora, incluso en su etapa fundacional. En el caso del MERCOSUR esta descripción es parcialmente adecuada por tratarse de un proceso asociativo que ha presentado desde su etapa formativa picos de alta tensión para después retornar a la normalidad.

En sus primeros análisis sobre los procesos de integración regional, Nye llamaba la atención sobre el hecho de que la politización ocurre cuando "(...)un número mayor de grupos se involucran en función de los efectos de la expansión de transacciones, vinculaciones anteriores, o la formación de coaliciones deliberadas. Cuanto mayor es este número, mayor es la posibilidad de interpretaciones divergentes sobre el interés común en un proceso de integración. La ampliación de los poderes de instituciones centrales no solamente se torna más visible para la opinión popular sino también estimula la acción de los grupos que se oponen a la integración, incluyendo los burócratas nacionales, preocupados por un avance sobre sus poderes".[23] Para que esta dinámica pueda mantenerse, se torna decisiva la creación de nichos políticos positivos, tanto en los diferentes ámbitos nacionales como en el nivel

[22] Joseph Nye (1971).
[23] Joseph Nye (1971), pp. 219-20.

supranacional, que apoyen el proceso de interdependencia estimulado por los nuevos vínculos económico-comerciales.

La politización generada en el Cono Sur por la integración regional comprende viejas y nuevas cuestiones en las que se superponen intereses nacionales y estrategias comunes. Es necesario señalar que un análisis de la politización en el MERCOSUR no puede excluir a Chile, que, pese a que no es un miembro de esta asociación, influye y absorbe los debates generados en el ámbito del proceso integracionista. De hecho, su ausencia se ha tornado una forma de marcar su presencia.

En una breve clasificación de los temas de politización en el MERCOSUR se pueden identificar cuatro universos que generan controversias entre y dentro de los países de la subregión. El primero está ligado al universo de la economía política internacional, el segundo a la economía política interna, el tercero a la política exterior y de seguridad internacional, y el cuarto a las opciones de institucionalización del proceso asociativo. En cada temática, las controversias provienen del impacto diferenciado de la integración subregional sobre cada Estado miembro.

La economía política internacional

Las controversias en el campo de la economía política internacional se centran en el tipo de estrategia más adecuado para enfrentar los desafíos y las oportunidades impuestos por los nuevos desarrollos en el ámbito económico externo.

Obligados a aceptar reglas de acceso selectivo a los mercados de los países industrializados, las economías de la subregión tratan de asegurar una mayor reciprocidad por sus políticas de liberalización unilateral. La compatibilización de legislaciones nacionales con las nuevas reglas de funcionamiento del sistema de comercio internacional y la vinculación positiva con los espacios económicos regionales constituyen una preocupación compartida por todos los Estados miembros del MERCOSUR. No obstante, coexisten diferentes tipos de estrategias económicas externas, condiciones desiguales de competencia empresarial, afinidades político-culturales diversas, y recursos institucionales de diferente escala.

Al mismo tiempo que la concepción del MERCOSUR como una experiencia de regionalismo abierto se tornó una manera de emitir una señal positiva para la comunidad económica internacional, se creó un nuevo tipo de tensión dentro del MERCOSUR. Por un lado, la convivencia entre diferentes sistemas de economía de mercado abrió un espacio para una disputa velada por inversiones externas.[24] Por otro, la yuxtaposición de influencias e intereses externos, particularmente de los Estados Unidos y de la Unión Europea, generó la necesidad de lograr la armonización de una agenda de negociaciones internacionales donde se busca sumar las ventajas del *status* de "comerciante global" con las de pertenecer a un bloque comercial.[25]

En este contexto se producen los debates sobre la estrategia internacional del MERCOSUR. En su fase constitutiva, la principal controversia giró en torno de la percepción de que la profundización del proceso subregional y sus vinculaciones con los Estados Unidos fuesen opciones excluyentes. Se desarrolló entonces un debate sobre los costos y los beneficios de aceptar un "patrón NAFTA" de negociación con el gobierno norteamericano.[26] Este debate fue superado mediante la Cumbre de Miami a partir de la cual se creó una agenda de conversaciones más sistemáticas entre los Estados Unidos y el MERCOSUR. También se puede prever un área de politización relacionada con las negociaciones UE-MERCOSUR. A partir de la firma del acuerdo inter-regional en diciembre de 1995 se abre una nueva etapa de conversaciones entre los dos bloques que podrá suscitar diferencias intra-bloques en cuanto a los costos y los beneficios de las concesiones a ser otorgadas para tener acceso al mercado comunitario.

Otros temas controvertidos han sido el sentido prioritario o no de un Acuerdo de Libre Comercio Sudamericano (ALCSA) para fortalecer la integración subregional y el tipo de vinculación a establecerse entre Chile y el MERCOSUR.[27] Seguramente surgirán nuevas

[24] Ver Pedro da Motta Veiga (1995).
[25] Para un análisis más detallado sobre este tema, ver Roberto Bouzas (1995 b).
[26] Ver João Paulo dos Reis Velloso (1995).
[27] Ver Gilson Schwartz (1995). Se ha planteado también un debate sobre la conveniencia de Chile de estrechar las relaciones comerciales con el NAFTA o el MERCOSUR; ver, por ejemplo, Andrea Butelmann (1994).

controversias en la agenda del MERCOSUR-OMC, principalmente frente a las reacciones que se generen en este organismo cuando se consolide el proceso subregional como una unión aduanera.

La economía política interna

Los temas de la politización en el campo de la economía política interna involucran cuestiones económicas y sociales. En este caso la discusión reside en los costos y los beneficios generados por los procesos asociativos en los contextos locales. En la Argentina, este debate se superpone a las reacciones producidas por el amplio programa de estabilización y liberalización económica puesto en marcha desde principios de los años noventa. La participación en el MERCOSUR y en particular la asociación con Brasil son percibidas como una de las tantas dimensiones de este proceso. Para los sectores más identificados con los cambios producidos por la reforma económica, la preocupación central es la diferencia de ritmo y la extensión de la política de estabilización adoptada en Brasil y los riesgos de que, en el contexto de una vinculación asimétrica, esta asintonía pudiese afectar los resultados del Plan de Convertibilidad. Para algunos segmentos críticos de la política económica del gobierno, el temor principal pasó a ser que la integración subregional profundizara el proceso de desindustrialización del país.[28]

Del lado brasileño pudieron observarse preocupaciones semejantes, si bien en un sentido inverso. Las reacciones partieron no sólo de los sectores menos competitivos *vis-à-vis* los socios del Cono Sur sino también de aquellos más sensibles a la competencia internacional. En este cuadro la integración regional pasó a ser identificada como un primer paso para la plena apertura y la desregulación de la actividad económica en Brasil.

Dos macro-cuestiones se presentan en este debate: una se vincula con el ámbito de la producción y la otra con el del trabajo. En ambas, la problemática remite al papel del Estado y su proyección institucional sobre el mercado en el contexto de un proceso de integración regional.

---

[28] Ver Andrés López, Gustavo Lugones y Fernando Porta (1993); Monica Hirst, Gabriel Bezchinsky y Fabián Castellana (1994).

En el primer caso se plantea la necesidad de compromisos extensivos de los gobiernos junto a los intereses industriales locales y la prioridad o no de que se mantengan iniciativas de protección que pudieran interferir en negociaciones interestatales ya consumadas.[29] En el segundo caso se destacan dos temas interrelacionados: el de las legislaciones laborales (incluyendo la reglamentación de profesiones) y el de las políticas migratorias. La incidencia de condicionantes políticos y económicos locales se torna aún más importante dado el carácter crítico de la agenda social para todos los Estados miembros del MERCOSUR. En este sentido, si bien el surgimiento de la cuestión social en el proceso de integración regional se relaciona con el nivel y el tipo de asimetrías económicas entre los Estados miembros, está también determinada por realidades previas o que se producen en forma concomitante. Desde el punto de vista político, la falta de medidas que amplíen los instrumentos de regulación y protección al trabajo conjuntamente con la vigencia de políticas de flexibilización laboral, podrán profundizar la politización anti-integracionista en el ámbito sindical mercosureño.

Es necesario mencionar que este tipo de politización tiene lugar en todos los países del MERCOSUR. Guardando la especificidad de la dinámica de los intereses societales y políticos locales, éste constituye el principal campo de controversias en el MERCOSUR.

Política exterior y seguridad internacional

Dos problemáticas emergen en el caso de la politización respecto de la política exterior y de la seguridad internacional. La primera se refiere al grado de coordinación necesaria entre estas políticas y el proceso de interdependencia económica y la segunda al impacto per se de este proceso sobre las condiciones de seguridad de los estados miembros del MERCOSUR.[30]

[29] Ver CEPAL (1992).

[30] Sobre las diferencias en materia de política exterior y seguridad internacional, ver los informes "Las políticas exteriores de Argentina y de Brasil frente a un mundo en transición: Diversidad, Convergencia y Complementariedad", Brasilia, FUNAG; "El Sur de las Américas en un mundo en transición: Escenarios y Políticas", Buenos Aires, FLACSO/Argentina - FOROSUR, enero de 1995; "El Sur de las Américas frente a nuevos desafíos", Brasilia, FUNAG, noviembre de 1995.

Se trata de establecer una forma de vinculación entre las relaciones económico-comerciales, la política internacional y de seguridad regional y su proyección sobre las relaciones interestatales. Las controversias generadas involucran nuevas y viejas cuestiones de las agendas intra-regionales estimulando una confrontación entre visiones que privilegian políticas exteriores y de defensa de carácter autonomista, y aquellas que defienden la necesidad de convergencias en un marco de seguridad cooperativa. Si bien las antiguas rivalidades interestatales que alimentaron hipótesis de conflictos bilaterales han sido desactivadas, se observa un espacio para nuevas controversias sobre opciones de política internacional y de seguridad.[31]

Este tipo de politización estuvo en un primer momento alimentada por interpretaciones divergentes sobre las transformaciones mundiales de la posguerra fría. Pero una evaluación ex-post permite sostener que las controversias que se generaron fueron sobredimensionadas. Su exacerbación se debió, en parte, al hecho de que, durante la etapa de aproximación argentino-brasileña que precedió al MERCOSUR, la coordinación de políticas exteriores y las posiciones convergentes en el campo de la seguridad internacional tuvieron mayor relevancia que los resultados obtenidos en el campo económico-comercial. Este sobredimensionamiento está relacionado también con el hecho de que el MERCOSUR siempre fue dirigido por las cancillerías de sus Estados miembros. Por eso mismo se estableció una mayor vinculación entre política internacional y de integración regional en el ámbito burocrático.

Entre tanto, la literatura sobre cooperación internacional destaca que es más fácil identificar intereses comunes en el campo económico que en las áreas de política exterior y de seguridad internacional.[32] Para llegar a esta etapa se necesita un proceso de maduración histórica que todavía no se ha alcanzado en el marco del MERCOSUR. En este contexto, el surgimiento de controversias sobre cuestiones externas puede precipitar crisis innecesarias y desviar la atención de los temas que realmente importan en un proceso de integración regional.

---

[31] El auge de este tipo de politización se evidencia en el trabajo de Carlos Escudé y Andrés Fontana. Ver Carlos Escudé y Andrés Fontana (1995).
[32] Ver Robert Jervis (1988).

El formato institucional

Las diversas posiciones suscitadas en torno del formato institucional del MERCOSUR responden a distintas interpretaciones sobre la mejor forma de asegurar la continuidad del proceso de integración subregional. El principal punto en cuestión se refiere a la estructura institucional más indicada para el proceso asociativo, especialmente a partir de su consolidación como una unión aduanera. Por tratarse esencialmente de un proceso intergubernamental, este debate refleja la defensa de los intereses nacionales proyectados sobre el mismo. Se ha establecido en este caso una vinculación entre el grado de institucionalización y el propio éxito del proceso de integración.

El debate sobre el modelo institucional del MERCOSUR comprende tres aspectos específicos: su formato administrativo, sus recursos jurídicos y su sistema decisorio. Se contraponen aquí dos fórmulas: el institucionalismo intergubernamental y el institucionalismo supranacional. La primera opción implica un avance más lento y cauteloso del proceso de integración, en tanto que la segunda implica un avance más rápido. El institucionalismo intergubernamental procura preservar a los gobiernos como actores protagónicos exclusivos, basado en un un sistema decisorio que opera por consenso a partir de un mínimo denominador común y una expansión controlada de la agenda oficial del MERCOSUR. El institucionalismo supranacional, por su parte, presupone una activa participación de grupos de interés transnacionales, la creación de una burocracia propia, la adopción progresiva de un sistema de votación calificada que privilegie los intereses comunes de los Estados miembros, y la consolidación del proceso de integración activado por una lógica expansiva.[33]

En lo que concierne a la cuestión jurídica, el principal debate se refiere a la eficacia del mecanismo de solución de controversias actualmente vigente en el MERCOSUR. Las posiciones oscilan entre aquellas que consideran dicho mecanismo excesivamente com-

[33] Para un análisis sobre las diferencias entre el institucionalismo intergubernamental y el supranacional aplicados a la experiencia europea, ver Andrew Moravcsik (1991). Para un análisis sobre la metodología de integración del MERCOSUR, ver Félix Peña (1995).

plejo, razón por la cual no es utilizado, y otras que defienden la creación de una instancia judicial más sólida, siguiendo el modelo de la Corte de Luxemburgo. En este caso se podría avanzar en la creación de una legislación comunitaria ampliando considerablemente los instrumentos jurídicos del MERCOSUR.[34]

Esta controversia está fuertemente influida por la estructura asimétrica del MERCOSUR. La adopción de una fórmula supranacional es defendida por los Estados menores, en tanto que los socios mayores –y particularmente Brasil– han sido más favorables a mantener el modelo intergubernamental considerado como un "institucionalismo light". Esta preferencia obedece a una lógica política presente en cualquier proceso de integración regional y no ignora la necesidad de ampliar y perfeccionar la estructura administrativa del MERCOSUR.

La tendencia verificada es que, en tanto los países pequeños puedan ser compensados con pagos laterales, los grandes ejercerán un poder de veto de facto asegurando la convergencia sobre un mínimo denominador común. En el caso del MERCOSUR esta dinámica ha sido liderada por Brasil y la Argentina, entre los cuales el principio de reciprocidad –específica o difusa– constituye una regla implícita.[35]

La politización generada por la cuestión institucional se desarrolla entre y dentro de los países miembros. En todos los países de la subregión, los actores de segundo nivel tienden a defender la creación de una estructura supranacional para el MERCOSUR. Esta solución es percibida como un medio para ampliar el poder de presión e influencia de los diferentes segmentos sociales y económicos afectados por el proceso de integración subregional.

Además de vincularse con preferencias políticas y técnicas, esta controversia está influida por la agenda externa del MERCOSUR, particularmente por sus relaciones con la Unión Europea. La UE ha apoyado la profundización de este debate entre los socios

---

[34] Para un análisis comparativo de los mecanismos de solución de controversias del MERCOSUR y la Unión Europea, ver Inés Calceglia (1995). Ver también Marcelo Halperín (1992), Deisy de Freitas Lima Ventura (1995).

[35] Para el concepto de reciprocidad difusa y específica, ver Robert Keohane (1989).

del MERCOSUR, manifestando su preferencia por una institucionalización más sólida de este proceso. Vale recordar que las negociaciones comerciales UE-MERCOSUR se iniciaron a partir de la transformación de este último en una unión aduanera.

4. El universo ideológico

La caracterización de las posiciones ideológicas suscitadas por el proceso de integración subregional constituye un terreno poco explorado. Para avanzar en esta dirección es necesario responder una pregunta clave: ¿Cuáles son las bases ideológicas de apoyo o de rechazo al MERCOSUR?

El marco conceptual

Antes de contestar la pregunta conviene hacer una breve aclaración conceptual. El término ideología es utilizado en este trabajo en su "sentido débil", o sea como un sistema de creencias políticas, un conjunto de ideas y de valores. Siguiendo en este caso la definición utilizada por Bobbio, para quien la ideología en su sentido débil "designa una especie diversamente definida, de los sistemas de creencias políticas: un conjunto de ideas y de valores referidos al orden público y teniendo como función orientar los comportamientos políticos colectivos".[36]

Cabe destacar que analizar el universo ideológico en el cual se desarrolla el MERCOSUR no significa atribuir a este proceso un significado ideológico propio. Se trata sí de mostrar cuál es el sistema de creencias y valores que le otorgan sustento político así como cuál es la sustancia de este sistema cuando se refiere a la integración subregional. Esta especificidad, por su parte, implica la incorporación de un componente pragmático que, contrariamente a lo que sugiere Sartori, no constituye en este caso una opción contrapuesta a una acción política ideologizada.[37]

---

[36] Mario Stoppino (1986), p. 585. Ver también Karl Mannheim (1971).
[37] Según Sartori no todos los sistemas de creencias políticas son ideológicos ya que el pragmatismo también es un estado del sistema de creencias. Ver Giovanni Sartori (1969).

Otro aspecto que es preciso considerar cuando se analizan los componentes ideológicos de un proceso de integración regional es la tesis sobre la declinación de las ideologías. En este caso no se hace referencia a la versión más reciente de esta tesis que pretende interpretar el impacto ideológico del fin de la Guerra Fría.[38] Se trata, en cambio, de la tesis desarrollada a mediados de los años cincuenta en la ciencia política, que asoció la mayor propensión al consenso político en las sociedades industriales modernas con la progresiva erosión de las ideologías tradicionales.[39] Se podría establecer un paralelismo entre el contexto ideológico europeo de los años '50/'60 y el que se observa durante la etapa de consolidación democrática en los países del MERCOSUR. De la misma forma que la desactivación de las pasiones políticas, necesaria para la formulación e implementación de políticas de bienestar en Europa generó un ambiente político favorable a la integración regional, en el Cono Sur, la menor polarización ideológica, al constituir un factor esencial de los procesos de democratización en los países de esta subregión, favoreció la construcción de una agenda de cooperación interestatal.

CÓMO ENCUADRAR LA CUESTIÓN

Para contestar la pregunta planteada al principio debe tenerse en cuenta la vinculación entre dos problemáticas igualmente relevantes. La primera se refiere al tipo de ideologización observada en los procesos de integración regional contemporáneos. Una experiencia particularmente ilustrativa en este caso es el debate surgido en los últimos años en el ámbito comunitario europeo. La segunda problemática se refiere al marco ideológico de los procesos de consolidación democrática en los países miembros del MERCOSUR. En

[38] Ver Francis Fukuyama (1989).
[39] La tesis del "fin de las ideologías" de los años '50 surgió inicialmente en la ciencias sociales en los Estados Unidos y coincidió con la expansión económica de la posguerra. Se suponía que en las sociedades democráticas desarrolladas las ideologías ya no eran necesarias debido a que se había logrado un consenso básico sobre las metas políticas que se materializó en el Estado de bienestar. Sobre este debate, ver por ejemplo Daniel Bell (1965), Chaim Waxman (1968) y Andrew Vincent (1995).

este caso se debe considerar la economía política de estos procesos, que además de constituir un elemento destacado para definir el perfil ideológico de los respectivos gobiernos, se convirtió en el principal foco de controversia política en la subregión.

a) El ejemplo europeo

Desde el inicio del proceso comunitario europeo se observó una vinculación entre su impacto político y las posiciones asumidas por organizaciones partidarias de los países miembros. No obstante, sólo cuando se amplió la participación de las fuerzas políticas locales, a través de un papel más activo del Parlamento Europeo, se pudo percibir una diferenciación político-ideológica más nítida en torno del proyecto comunitario.[40] A medida que la CEE logró un perfil político más autónomo, la política comunitaria dejó de ser una sumatoria de tareas técnicas con opciones políticas nacionales. La decisión de profundizar el proceso de integración europeo exigió superar su déficit democrático, erosionando aún más las fronteras entre la dimensión política interna y la regional. A partir de entonces surgió una mayor diferenciación ideológica entre las opciones de política comunitaria.[41]

En general, los partidos políticos que más apoyaron el proyecto comunitario europeo fueron aquellos con un perfil ideológico de centro. Los partidos de izquierda se caracterizaron por sostener posiciones anti-integracionistas, destacándose entre ellos los partidos comunistas de Francia e Italia. Este tipo de tendencia también se observó en los países que se incorporaron tardíamente como España y Portugal, debiendo mencionarse aún las banderas anticomunitarias del partido laborista de Inglaterra. Con un signo ideoló-

---

[40] Hasta 1979 los miembros del Parlamento Europeo (PE) eran designados por los parlamentos nacionales, de manera que los partidos que no estaban representados en las legislaturas nacionales no podían integrarlo. Desde 1979 en que se celebraron las primeras elecciones directas del PE el número de grupos y de partidos políticos se incrementó sustancialmente. Además, junto al proceso de democratización del Parlamento se han ampliado también sus facultades y poderes como consecuencia de las enmiendas establecidas por el Acta Única Europea (1985) y el Tratado de la Unión Europea (1992). Ver Neill Nugent (1994), Guy Peters (1992), John Pinder (1991).

[41] Geoffrey Pridham (1986).

gico opuesto, pero con actitudes similares en lo que respecta a la política comunitaria, estuvieron los partidos de derecha, en especial aquellos de orientación ultranacionalista. Los casos paradigmáticos han sido las organizaciones derechistas francesas –el Partido Gaullista y el Frente Nacional.[42] Como contrapartida, en Italia, Alemania y Holanda ganaron fuerza las coaliciones interpartidarias interesadas en fortalecer sus lazos con el proceso comunitario.

En la mayoría de los países miembros de la UE la movilización político-partidaria en torno de la cuestión comunitaria fue lenta. Fue difícil crear una vinculación activa y permanente entre el electorado europeo y el proceso de integración y sólo a partir del Tratado de Maastricht comenzó a achicarse la distancia entre el ámbito de la política regional y la nacional. A partir de entonces se observó una "europeización" de la política interna en la cual la dinámica política y económica de la UE se tornó parte de la lógica institucional y decisoria de la actividad política europea.[43]

Finalmente, debe señalarse que la principal motivación política del proceso comunitario europeo a partir de mediados de los años '80, fue la convergencia intergubernamental en torno de políticas económicas de orientación neoliberal. La serie de programas nacionales de desregulación económica llevó a que la Comunidad fuese percibida como un instrumento para la remoción de barreras y no como un medio de intervención económica. Como señalaron Hoffman y Keohane, la "semejanza subjetiva" entre los principales miembros de la CEE, propiciada por este nuevo marco de coincidencias, se transformó en una condición esencial para la negociación del Acta Única Europea.[44]

---

[42] La pérdida de la identidad nacional y la disminución del poder del Estado centralizado han sido cuestiones que ocupan un lugar central en el debate ideológico europeo. En el caso de Francia, la izquierda jacobina y la derecha gaullista rechazaron el Tratado de Maastricht, por distintas razones. Ver Robert Ladrech (1994), p. 74; Mark Franklin, Michael Marsh y Lauren McLaren (1994).

[43] Ver Robert Ladrech (1994).

[44] El factor fundamental que hizo posible que esa semejanza subjetiva reapareciera en Europa fue el cambio de la política económica de Francia a partir de 1983. Después del fracaso de la política económica dirigista, con fuerte intervención del Estado y orientada a la autarquía, del período 1981-83, el gobierno de Mitterrand adoptó un programa económico de neto corte neoliberal. Ver Robert Keohane y Stanley Hoffmann (1991).

b) Consolidación democrática y neoliberalismo

El hecho de que la consolidación democrática en la mayoría de los países del área se haya desarrollado en un contexto de ajustes económicos estructurales generó un nuevo tipo de vinculación entre el ámbito de la política y el de la economía, cuya aprobación o crítica pasaron a indicar una preferencia ideológica.[45] La aprobación o el rechazo de las premisas del Consenso de Washington pasaron a articularse con sistemas de creencias que, a pesar de que se expresaron en un mundo de posguerra fría, guardan un fuerte sentido ideológico. El debate sobre la inevitabilidad de los programas de estabilización, el impacto político-institucional de las medidas de desregulación del mercado, sus costos sociales y la difícil viabilización de propuestas alternativas se tornaron los elementos más importantes para la caracterización de nuevas polaridades ideológicas.

Al mismo tiempo, la vigencia de regímenes democráticos representativos e institucionalizados en los países de la subregión adquirió características peculiares. El contexto de crisis generalizada de los aparatos estatales, la vigencia de determinados vicios políticos de la etapa autoritaria y el vaciamiento ideológico del sistema político-partidario generaron las condiciones para el surgimiento de lo que O'Donnell calificó de "ciudadanía de baja intensidad".[46] En este contexto, el limitado liberalismo político practicado por las instituciones de las democracias de la región constituiría uno de los principales factores que afecta el ejercicio de la ciudadanía.

Pese a haber recorrido caminos muy diferentes, los regímenes democráticos de la Unión Europea y del MERCOSUR comparten un sentido ideológico semejante. El punto de unión entre ambas experiencias son las convergencias entre las políticas de liberalización y desregulación económica. Desde el punto de vista ideológico estas políticas han sido ejecutadas por gobiernos de centro. En el Cono Sur éstos se convirtieron en la principal alternativa luego de que los procesos de inestabilidad económica de los países de la región alcanzaron su punto crítico, lo que contribuyó a debilitar

---

[45] Sobre este tema ver, por ejemplo, José L. Fiori (1995).
[46] Ver Guillermo O'Donnell (1994).

las bases de apoyo de las fuerzas extremistas –tanto de derecha como de izquierda.

En la Europa comunitaria, el fin de la Guerra Fría tuvo un impacto importante sobre su geografía política tradicional. A partir de la declinación del bipolarismo ideológico, se redujo la polarización entre los extremos, al mismo tiempo que se amplió el espectro de centro. La mayor complejidad del universo político de las grandes sociedades democráticas amplió la posibilidad de combinaciones de intereses y posiciones, llevando a una expansión del espacio intermedio entre la derecha y la izquierda. Como observa Bobbio, en este proceso el espacio del centro se diversifica, siendo posible identificar un centro más próximo a la derecha y otro más alineado con la izquierda. Éstas constituyen opciones moderadas de los extremos que coexisten con un "centro indivisible, que podría llamarse de centro-centro".[47]

Ideología e integración regional

Este breve análisis permite delinear el universo ideológico en el que operan tanto la Unión Europea como el MERCOSUR. Naturalmente en el primer caso se trata de un contexto político más complejo en el que coexisten múltiples opciones ideológicas. No obstante, en ambos casos la integración regional constituye un proyecto apoyado y conducido por fuerzas políticas de centro; sea centro-izquierda, centro-centro, o centro-derecha.

En el Cono Sur, los gobiernos de transición y consolidación democrática han sido gobiernos de centro. Sus políticas han oscilado entre opciones de centro-izquierda, centro-centro y centro-derecha. Éste constituye el universo ideológico de los gobernantes y de las bases de sustentación política –las *constituencies*– de estos gobiernos. El mismo es un factor político fundamental para explicar la continuidad del proceso de asociación subregional.

Sin embargo, no se apoya el MERCOSUR necesariamente por las mismas razones. Existen diferenciaciones en cuanto a las opciones de políticas integracionistas, sea en el nivel nacional o en el re-

[47] Norberto Bobbio (1995), p. 56.

gional. Lo que se desea destacar es que las diferencias reflejan los caminos posibles del MERCOSUR y no contemplan su eliminación ni su suspensión. Estos caminos son los puntos de politización explorados en la sección anterior. Las posiciones anti-MERCOSUR pertenecen a segmentos ideológicos extremos sean de derecha o de izquierda que se apoyan en ideales nacionalistas o internacionalistas. Los sectores más moderados que se diferencian de estos extremos, sean de derecha o de izquierda, apoyan el MERCOSUR y tratan de establecer críticamente puentes con la centro-derecha o con la centro-izquierda.

Este tipo de diferenciación se presenta al analizar las preferencias de los actores, sean de primero o de segundo nivel. Tratándose de un proyecto que coincide con valores y lealtades de segmentos distintos de las elites y de representantes sociales se pueden identificar redes generacionales que actualmente dan lugar a una ideología pro-MERCOSUR.

Dos sistemas de creencias aparecen contrapuestos. Existe un primer sistema influido por antiguos ideales integracionistas y reforzado por valores democráticos comunes que se tornaron dominantes a partir del fin del autoritarismo. Es importante en este caso llamar la atención sobre la sensibilidad política desarrollada en los años '70/'80 a partir de experiencias comunes de privaciones políticas.

El segundo sistema es aquel estimulado por las transformaciones económico-políticas mundiales según el cual el MERCOSUR constituye una herramienta para el ingreso de sus países en la comunidad internacional de las democracias de mercado. De forma extremadamente simplificada se podría decir que en el primer caso figura la mayoría de los actores considerados en el segundo nivel, en tanto que en el otro sistema están aquellos identificados en el primer nivel. También siguiendo un razonamiento lineal sería posible asociar el primer sistema de creencias con una orientación ideológica de centro-izquierda y el segundo con una orientación de centro-centro o centro-derecha. Debe notarse que ambos sistemas de creencias pueden mezclarse en función de la temática en cuestión, sin que exista a priori un esquema rígido de valores y lealtades.

Para aclarar las implicancias de este mapeo ideológico se indican a continuación las cuestiones que pertenecen a los cuatro universos temáticos de politización tratados anteriormente y que han, por lo tanto, suscitado controversias en el ámbito de la *constituency* del MERCOSUR. Estas cuestiones fueron agrupadas de acuerdo con la diferenciación político-ideológica previamente analizada.

TEMAS DE POLITIZACIÓN EN EL MERCOSUR

Posiciones ideológicas

Universos temáticos	centro-derecha	centro-izquierda
ECONOMÍA POLÍTICA INTERNACIONAL	MERCOSUR = medio para llegar al NAFTA Vinculación de Chile por ALC Acuerdo con NAFTA antes de SAFTA	MERCOSUR = estrategia defensiva múltiple Chile debería integrar UA SAFTA debe preceder al acuerdo con NAFTA
ECONOMÍA POLÍTICA DOMÉSTICA	MERCOSUR = estímulo de política de liberalización Las regiones no competitivas se ajustan a través de mecanismos de mercado Los temas sociales pertenecen a la agenda de cada país.	MERCOSUR = estímulo de política industrial MERCOSUR debe comprender políticas regionales La agenda del MERCOSUR debe comprender una dimensión social
POLÍTICA EXTERIOR Y DE SEGURIDAD INTERNACIONAL	Mercosur conduce a la cooperación política y estratégica	MERCOSUR no conduce a la cooperación política y estratégica
INSTITUCIONALIZACIÓN	Estructura exclusivamente intergubernamental Mecanismo de solución de controversias	Estructura combinada intergubernamental y supranacional Tribunal de Justicia

Las diferentes posiciones agrupadas en este cuadro no deben entenderse como un esquema rígido de preferencias. Por el contrario, se trata de opciones dentro de un mismo universo político en el que opera un consenso pro-MERCOSUR. En todos los casos están presentes opciones que tanto pueden ser defendidas por los gobiernos de los países miembros como por determinados actores que tratan de influir sobre ellos.

En el caso de las preferencias de actores específicos se observa el surgimiento de nichos de interacción intergubernamental y/o intersocietal, a partir de los cuales se forma gradualmente una base de intereses comunes que podrá en el futuro estimular una cultura comunitaria en la subregión. Este proceso implica la lenta construcción de una identidad colectiva y de un sentido de pertenencia que sobrepasa las fronteras nacionales.[48]

Concluyendo, si bien es verdad que el MERCOSUR está superando las expectativas económico-comerciales generadas desde la firma del Tratado de Asunción, existe aún un largo camino por delante para la consolidación de una cultura política pro-integracionista. Por lo tanto, será decisiva la identificación de una agenda política propia para el MERCOSUR, capaz de movilizar intereses comunes de largo plazo que partan de la comprobación de que los costos de no integrarse serán superiores a los costos de integrarse. Actualmente, este tipo de percepción corresponde a los segmentos que pertenecen más al primero que al segundo nivel de actores del MERCOSUR.

---

[48] Según el análisis de los datos del Latinobarómetro, realizado por María Braun y Helena Rovner, la idea de la integración latinoamericana y particularmente de la integración en el MERCOSUR es altamente aceptada por la opinión pública de los países miembros, aunque exista todavía bajo nivel de confianza en los países vecinos. Ver María Braun y Helena Rovner, 1995.

ANEXO

El Tratado de Asunción estableció los siguientes órganos durante el período de transición para la formación del MERCOSUR: El Consejo de Mercado Común, el Grupo Mercado Común, la Comisión Parlamentaria Conjunta y la Secretaría Administrativa del MERCOSUR. Mediante el Protocolo de Ouro Preto se crearon la Comisión de Comercio del MERCOSUR y el Foro Consultivo Económico Social.

El *Consejo del Mercado Común* (CMC): es el órgano superior en la estructura decisoria y es responsable de la conducción política. Es el guardián del Tratado de Asunción, los Protocolos y acuerdos celebrados en su marco y determina las políticas fundamentales para conformar el mercado común. Está compuesto por los ministros de Relaciones Exteriores y los ministros de Economía de los respectivos Estados. Puede reunirse las veces que lo estime oportuno y por lo menos una vez al año lo hará con la participación de los presidentes de los Estados partes.

Asimismo, quedó establecido un sistema de votación para la presidencia del CMC por orden alfabético y por un período de seis meses. Las reuniones son coordinadas por los cancilleres y pueden ser invitados otros ministros o autoridades de nivel ministerial. Las decisiones del CMC son tomadas por consenso y con la presencia de todos los Estados partes.

El *Grupo Mercado Común* (GMC): es el órgano ejecutivo del MERCOSUR. Este órgano está integrado por 32 técnicos (ocho por país: cuatro miembros permanentes y cuatro alternos) que representan a los siguientes organismos: Ministerio de Relaciones Exteriores, Ministerio de Economía o equivalentes (áreas de Industria y Comercio Exterior), Banco Central. El GMC es coordinado en cada país por su Ministerio de Relaciones Exteriores o equivalente. Es un órgano con facultad de iniciativa y tiene las siguientes funciones: velar por el cumplimiento de las decisiones adoptadas por el Consejo, elevar propuestas al CMC, etc. También el GMC podrá constituir los Subgrupos Técnicos de Trabajo (SGTs) que sean necesarios para el cumplimiento de sus objetivos.

La mayoría de los SGTs se formaron por el Acta de Buenos Aires en junio de 1990 y comenzaron a trabajar en la segunda mitad de dicho año. Al firmarse el Tratado de Asunción se ratifica la metodología y se integran a los SGTs los representantes del Paraguay y Uruguay. Inicialmente se crearon diez SGTs y luego se agregó uno más. Los once subgrupos de trabajo durante el período de transición fueron: SGT 1: Asuntos Comerciales, SGT 2: Asuntos Aduaneros, SGT 3: Normas Técnicas, SGT 4: Política Fiscal Monetaria, SGT 5: Transporte Terrestre, SGT 6: Transporte Marítimo, SGT 7: Política Industrial y Tecnológica, SGT 8: Política Agrícola, SGT 9: Política Energética, SGT 10: Coordinación de Políticas Macroeconómicas, SGT 11: Relaciones Laborales.

Actualmente los grupos de trabajo son SGT 1: Comunicaciones, SGT 2: Minería, SGT 3: Reglamentos Técnicos, SGT 4: Asuntos Financieros, SGT 5: Transporte e Infraestructura, SGT 6: Medio Ambiente, SGT 7: Industria, SGT 8: Agricultura, SGT 9: Energía, y SGT 10: Asuntos Laborales, Empleo y Seguridad Social.

El GMC define los alcances y los objetivos de los SGTs y determina los temas tratados por cada uno de ellos. Los SGTs funcionan, acuerdan y presentan los resultados obtenidos al GMC, el cual como órgano ejecutivo resuelve y/o eleva los temas que así lo requieran para ser tratados en las reuniones del CMC del MERCOSUR. También se acordó que la mayor parte de las reuniones de los SGTs se realicen en la sede permanente de Montevideo.

El GMC cuenta con el apoyo de Reuniones de Ministros –por ejemplo, ministros de Trabajo, de Educación, de Justicia, de Agricultura, etcétera– y de Reuniones Especializadas –por ejemplo, de secretarios de Turismo, de Ciencia y Tecnología, de Cultura, de Medio Ambiente, etcétera.

La *Comisión de Comercio del MERCOSUR* (CCM): se creó con el fin de administrar y velar por la aplicación del Arancel Externo Común (AEC) y de los demás instrumentos de política comercial común (las prácticas desleales de comercio, las restricciones no arancelarias, el régimen de origen, la defensa del consumidor y de la competencia, las zonas francas, los regímenes automotriz, textil y azucarero, etc.). La CCM está subordinada jerárquicamente al GMC y se reúne obligatoriamente al menos dos veces al mes. Tiene facultad frente a disputas comerciales y se pronuncia mediante directivas que son obligatorias para los Estados miembros. Está integrada por diez comités técnicos.

El *Foro Consultivo Económico y Social* (FCES): tiene funciones consultivas y se pronuncia mediante recomendaciones al GMC. Representa a los sectores económicos y sociales. A pesar de lo previsto en el Protocolo de Ouro Preto se constituirá a partir de 1996.

La *Secretaría Administrativa:* tiene sede en Montevideo y sus funciones principales son:

a) organizar y difundir la documentación del MERCOSUR;

b) funcionar como centro de comunicaciones para el intercambio de información y verificar el cumplimiento de plazos y compromisos asumidos en el marco de los distintos SGTs;

c) facilitar el contacto directo entre las autoridades del GMC;

d) organizar los aspectos logísticos de las reuniones por realizarse en el marco del GMC.

La *Comisión Parlamentaria Conjunta:* fue establecida en el Cap VII, art.24 del Tratado de Asunción. Se constituyó en Montevideo en diciembre de 1991. Su función es estudiar los proyectos de acuerdos específicos negociados por los Estados-partes antes del envío a cada Poder Legislativo para su tratamiento y transmitir sus recomendaciones a los Poderes Ejecutivos. Por su parte, los negociadores de cada Estado mantendrán informados a sus respectivos Congresos sobre la evolución del Programa MERCOSUR.

BIBLIOGRAFÍA

Agosín, Manuel y Diana Tussie (1993), "Globalización, regionalización y nuevos dilemas en la política de comercio exterior para el desarrollo", *El Trimestre Económico*, julio-septiembre.

Bell, Daniel (1965), *The end of ideology: on the exhaustion of political ideas in the 1950s*, New York: Free Press.

Bensusan, Graciela (1994), "Entre candados y dientes. La agenda laboral del TLCAN", *Perfiles Latinoamericanos*, N. 4, junio.

Bezchinsky, Gabriel y Bernardo Kosacoff (1994), "Nuevas estrategias de las empresas transnacionales en la Argentina", *Revista de la CEPAL*, N. 52, abril.

BID (1994), "Políticas para micro, pequeñas y medianas empresas. Proyecto e implementación de una red de integración empresarial para el sector PyMEs", Programa de Apoyo Técnico para la Implementación y Puesta en Marcha del MERCOSUR, mayo.

Bobbio, Norberto (1995), *Derecha e izquierda*, Madrid: Taurus.

Boldorini, María Cristina y Susana Czar de Zalduendo (1995), "La estructura jurídico-institucional del MERCOSUR después del Protocolo de Ouro Preto", *Boletín Informativo Techint*, N. 283, julio-septiembre.

Bouzas, Roberto, (1995) "Integración económica e inversión extranjera: la experiencia reciente de Argentina y Brasil", en Felipe A. M. de la Balze, comp., *Argentina y Brasil enfrentando el siglo XXI*, Buenos Aires: CARI-ABRA, 1995.

—————————(1995 b), "La agenda económica del MERCOSUR: desafíos de política a corto y mediano plazo", *Documentos e Informes de Investigación*, N. 194, FLACSO/Argentina: Buenos Aires.

Braun, María y Helena Rovner (1995), "Los ciudadanos frente al MERCOSUR". Trabajo presentado en el II Congreso Nacional de Ciencia Política, organizado por la SAAP en Mendoza, 1-5 de noviembre.

Butelmann, Andrea (1994), "Elements of Chilean Trade Strategy: the United States or MERCOSUR?, en Roberto Bouzas y Jaime Ros, eds., *Economic integration in the Western Hemisphere*, Notre Dame: University of Notre Dame Press.

Calceglia, Inés (1995), *La resolución de controversias en esquemas de integración. El caso MERCOSUR*, Buenos Aires: La Ley.

CEPAL (1992), "La situación de la industria paraguaya frente al desafío de la integración en el MERCOSUR".

—————————(1995), *Síntesis de la reunión sobre complementación productiva de los países miembros del Mercado Común del Sur*, Santiago de Chile: CEPAL, LC/R. 1528, 18 de mayo.

Cepeda, Horacio y Gabriel Yoguel (1993), "Las PyMEs frente a la apertura externa y el proceso de integración subregional", DT. N. 13, Instituto para el Desarrollo Industrial, UIA, diciembre.

Chaloult, Yves (1994), "O MERCOSUL e a ALCSA. Formação de uma área de libre comércio na América do Sul", *Boletim de Integração Latino-americana*, N. 15, outubro-dezembro.

Da Motta Veiga, Pedro (1995), "MERCOSUL: a agenda da consolidação e os dilemas de ampliação", en Joao Paulo dos Reis Velloso, coord., MERCOSUL & NAFTA. *O Brasil e a integração hemisférica*, Rio de Janeiro: José Olympio Editora.

Da Motta Veiga, Pedro y Beatriz Nofal (1995), "Competitividade internacional e reestructuração industrial no MERCOSUL", *Revista Brasileira de Comércio Exterior*, N. 42.

De Freitas Lima Ventura, Deisy (1995), "Os dilemas da institucionalização: um turning point para o Mercosul, *São Paulo em Perspectiva*, Vol. 9, N.1.

De la Balze, Felipe, comp., (1995), *Argentina y Brasil enfrentando el siglo XXI*, Buenos Aires: CARI - ABRA.

De Paula, José Alves (1994), "O Subgrupo 11 do MERCOSUL: Balanço de suas atividades", *Boletim de Integração Latino-americana*, N. 15, outubro-dezembro.

Di Filippo, Armando (1994), "Regionalismo abierto y empresas latinoamericanas", *Pensamiento Iberoamericano*, N. 26, julio-diciembre.

Dos Reis Velloso, João Paulo, coord., (1995), *Mercosul & NAFTA. O Brasil e a integração hemisférica*, Rio de Janeiro: José Olympio Editora.

Escudé, Carlos y Andrés Fontana (1995), "Divergencias estratégicas en el Cono Sur: las políticas de seguridad de la Argentina frente a las del Brasil y Chile", DT. N. 20, Buenos Aires: Universidad Torcuato Di Tella, julio.

Faria, Werter (1994), *Órgãos de integração e instituções parlamentares internacionais*, Brasilia: Associação Brasileira de Estudos da Integração.

Fiori, José L.(1995), *Em busca do dissenso perdido*. Rio de Janeiro: Insight Editorial.

Franklin, Mark; Michael Marsh y Lauren McLaren (1994), "Uncorking the bottle: popular opposition to European Unification in the Wake of Maastricht", *Journal of Common Markets Studies*, Vol. 32, N.4, December.

Fukuyama, Francis (1989), "The end of history?", *National Interest*, Summer.

FUNCEX (1994), "Um balanço do MERCOSUL", *Revista Brasileira de Comércio Exterior*, N. 41, outubro/dezembro.

Fundaçao SEADE (1995), "MERCOSUL", *São Paulo em Perspectiva*, Vol. 9, N. 1, jan-mar.

Gatto, Francisco y Carlo Ferraro (1994), "Cooperación empresarial en el MERCOSUR. Primeros elementos que surgen de un trabajo de campo en Argentina y Brasil", *Proyecto INTAL/CEPAL sobre Acuerdos empresariales en el MERCOSUR*, Buenos Aires, mayo.

Gatto, Francisco y Gabriel Yoguel (1993), "Las PyMES argentinas en una etapa de transición productiva y tecnológica", en Bernardo Kosacoff, comp., *El desafío de la competitividad*, CEPAL/Editorial Alianza.

Goulart, Linda; Carlos Alberto Arruda y Haroldo Vinagre Brasil (1994), "Empresas brasileiras. A evolução na dinâmica de internacionalização", *Revista Brasileira de Comércio Exterior*, N. 41, outubro/dezembro.

Grandi, Jorge (1994), "A Formação de quadros para a integração da América Latina", *Revista Brasileira de Comércio Exterior*, N. 39, abril/junho.

Grieco, Joseph (1990), *Cooperation among nations. Europe, America and Non-Tariff Barriers to Trade*, Ithaca: Cornell University Press.

Guimarães, Eduardo, João Bosco Machado y Pedro da Motta Veiga (1995), "Restruturação industrial em contexto de abertura e integração: um modelo para o caso brasileiro", *Revista Brasileira de Comércio Exterior*, N. 45, outubro/dezembro.

Halperín, Marcelo (1992), "Los particulares y el MERCOSUR. El Protocolo de Brasilia para la solución de controversias", *La Ley*, Año LVI, N. 31, 13 de febrero.

Hinojosa, Raúl, Jeffrey Lewis y Sherman Robinson (1995), "MERCOSUL e NAFTA: convergencia e divergencia na integração das Américas", en Joao Paulo dos Reis Velloso, coord., *MERCOSUL & NAFTA. O Brasil e a integração hemisférica*, Rio de Janeiro: José Olympio.

Hirst, Monica, Gabriel Bezchinsky y Fabián Castellana (1994), "A reação do empresariado argentino diante da formação do MERCOSUL", *Texto para Discussão*, N. 337, IPEA, maio.

Informe "Argentina-Brasil: Comercio, inversiones e integración física" (1995), publicado por la Embajada de Argentina en Brasil, agosto.

Jervis, Robert (1988), "Realism, game theory, and cooperation", *World Politics*, Vol. XL, N. 3, April.

Keohane, Robert y Stanley Hoffmann (1991), "Institutional change in Europe in the 1980s", en Robert Keohane y Stanley Hoffmann, eds., *The New European Community. Decisionmaking and institutional change*, Boulder: Westview Press.

Keohane, Robert (1989), "Reciprocity in international relations", en Robert Keohane, *"International institutions and state power. Essays in international relations theory"*, Boulder: Westview Press.

Ladrech, Robert (1994), "Europeanization of domestic politics and institutions: The case of France", *Journal of Common Markets Studies*, Vol. 32, N. 1, March.

López, Andrés.; Gustavo Lugones y Fernando Porta (1993), "Comercio y competitividad en el MERCOSUR. Factores macroeconómicos, políticas públicas y estrategias privadas", *DT 12*, Buenos Aires: CENIT, julio.

Mannheim, Karl (1960), *Ideology and utopia*, London: Routledge & Kegan.

Massi, Fernando (1995), "Paraguay y el MERCOSUR: Posibilidades en un mercado ampliado", *Cuadernos de Discusión*, Asunción: Centro de Análisis y Difusión de Economía Paraguaya, febrero.

Moori-Koenig, Virginia y Gabriel Yoguel (1992), "Competitividad de las PyMEs autopartistas en el nuevo escenario de apertura e integración subregional", *Documento de Trabajo CFI-CEPAL* N. 30, Buenos Aires: CEPAL, septiembre.

Moravcsik, Andrew (1991), "Negotiating the Single European Act", en Robert Keohane y Stanley Hoffmann, eds., *The New European Community. Decisionmaking and institutional change*, Boulder: Westview Press.

Muñoz, Heraldo y Francisco Orrego Vicuña, comps., (1987), *La cooperación regional en América Latina: diagnóstico y proyecciones futuras*, México: El Colegio de México.

Notaro, Jorge (1994), "El tránsito al MERCOSUR y sus impactos en las relaciones de trabajo. El escenario regional y las economías pequeñas", *Cuadernos del CLAEH*, N. 69, junio.

Nugent, Neill (1994), *The government and politics of the European Union*, London: Macmillan Press.

Nye, Joseph (1971),"Comparing Common Markets: A revised neo-funcionalist model", *Regional Integration: Theory and Research*, Cambridge: Harvard University.

O'Donnell, Guillermo (1994), "The State, democratization and some conceptual problems", en William Smith, Carlos Acuña y Eduardo Gamarra, eds., *Latin American political economy in the age of neoliberal reform*, Miami: North-South Center.

Oman, Charles (1994), "Globalização/regionalização. O desafio para os países em desenvolvimento, *Revista Brasileira de Comércio Exterior*, N. 39, abril/junho.

Peña, Félix (1995), "La construcción del MERCOSUR: un caso de metodología de integración entre naciones soberanas" *mimeo*, noviembre.

Pereira, José Matias (1994), "A defesa da concorrência no MERCO-SUL", *Boletim de Integração Latino-americana*, N. 15, outubro-dezembro.

Peters, Guy (1992), "Bureaucratic politics and the institutions of the European Community", en Alberta Sbragia, ed., *Europolitics. Institutions and policymaking in the New European Community*. Washington DC: The Brookings Institution.

Pinder, John (1991), *European Community. The building of a Union*, Oxford University Press.

Portella de Castro, Maria Silvia (1995), "Considerações sobre o emprego nos processos de integração comercial e as propostas sindicais no contexto internacional e no âmbito do MERCOSUL", trabajo presentado en el Seminario *Processos de integração regional e as respostas da sociedade: Argentina, Brasil, México e Venezuela*, Universidade de São Paulo, Instituto de Estudos Avançados, 7 y 8 de agosto.

Pridham, Geoffrey (1986), "European elections, political parties and trends of internalization in community affairs", *Journal of Common Market Studies*, Vol. XXIV, N. 4, June.

Sabsay, Fernando y Roberto Bloch (1995), "Solución de controversias en el MERCOSUR", *Archivos del Presente*, Año 1, N. 2.

Sartori, Giovanni (1969), "Politics, ideology and belief systems", *American Political Science Review*, Vol. LXIII, N. 2.

Schwartz, Gilson (1995), "Mercosul entre Safta e Nafta: uma reestruturação destrutiva ou integração pan-americana?, *São Paulo em Perspectiva*, Vol. 9, N.1.

Stoppino, Mario (1986), "Ideologia", en Norberto Bobbio *et al.*, *Dicionário de Política*, Brasilia: Editora Universidade de Brasília.

Tokman, Victor y José Wurgaft (1995), "Integración económica y mercado de trabajo", *São Paulo em Perspectiva*, Vol. 9, N. 1, jan-mar.

UDAPEX (1995), *Bolivia y el orden internacional emergente*, UDAPEX, Ministerio de Relaciones Exteriores y Culto de Bolivia.

Vigevani, Tullo y João Paulo Veiga (1995),"MERCOSUL: Interesses e Mobilização Sindical", trabajo presentado en el Seminario *Processos de integração regional e as respostas da sociedade: Argentina, Brasil, México e Venezuela*, Universidade de São Paulo, Instituto de Estudos Avançados, 7 y 8 de agosto.

Vincent, Andrew (1995), *Ideologías políticas modernas*, Rio de Janeiro: Jorge Zahar Editor.

Waxman, Chaim, org., (1968), *End of ideology debate*, New York: Funk & Wagnalls.